水沙灾害及其防治决策支持系统

李文学　梁志勇　梁国亭　向立云
李　娜　盛震东　著

黄河水利出版社

内容提要

本书系国家自然科学基金委员会与水利部联合资助国家自然科学基金重大项目(59890200)部分研究成果的总结。全书以水沙灾害学的一般知识为基础,首先介绍了水沙灾害的一般特性,然后阐述了三门峡水库及黄河下游泥沙运动特性与专家经验,提出了水沙灾害管理与防治方法,最后给出了黄河下游水沙运动的数学模型以及决策支持系统。

本书可供水文、泥沙、防洪减灾、河道整治、地理、气象、资源开发等方面的科研技术人员、工程管理人员、决策人员和有关大专院校师生参考。

图书在版编目(CIP)数据

水沙灾害及其防治决策支持系统/李文学等著.—郑州:
黄河水利出版社,2002.10
ISBN 7-80621-611-1

Ⅰ.水… Ⅱ.李… Ⅲ.①泥沙运动-影响-河道-研究
②黄河-河道整治-淤积控制-决策支持系统③黄河-下
游河段-泥沙运动-数学模型 Ⅳ.TV85

中国版本图书馆 CIP 数据核字(2002)第 077393 号

出 版 社:黄河水利出版社
  地址:河南省郑州市金水路 11 号 邮编:450003
发行单位:黄河水利出版社
  发行部电话及传真:(0371)6022620
  E-mail:yrcp@public2.zz.ha.cn
承印单位:黄河水利委员会印刷厂
开 本:787mm×1 092mm 1/16
印 张:10.75
字 数:248 千字   印数:1—1 800
版 次:2002 年 10 月 第 1 版   印次:2002 年 10 月第 1 次印刷
书号:ISBN 7-80621-611-1/TV·284   定价:26.00 元

前　言

　　洪水灾害是发生最为频繁和严重的自然灾害之一,其发生的频繁程度,影响范围的广度,造成损失的程度,在我国各种自然灾害中均名列前茅。泥沙灾害虽然并没有出现在国际减灾委员会所列的29种自然灾害之中,但隐含在其他自然灾害中。其中直接致灾因子是泥沙的为数不少,泥沙灾害所造成的直接危害不容忽视,特别是在黄河。洪水与泥沙是黄河的两大问题,洪水灾害与泥沙灾害对人民生命财产、国民经济建设都构成了严重威胁,影响社会、经济、政治的稳定与发展。因此,研究水沙灾害,开发水沙灾害防治决策支持系统,无疑是治理黄河的大事。

　　随着计算机技术的迅猛发展,网络的快速普及,协助决策和管理人员进行决策的决策支持系统、会商决策系统应运而生。决策支持系统是一门新兴的、综合性的边缘学科,是以计算机为基础的、能够协助决策者利用数据库和模型库进行决策的人机交互作用系统,它涉及统计学、运筹学、知识获取、数据可视化、高性能计算、专家系统、行为科学、系统理论等学科的相关知识。水沙灾害防治决策支持系统是有效地减少水沙灾害损失的科学决策方法,也是防汛指挥系统工程的重要组成部分。计算机以其大容量、高速度为信息处理、实体模拟提供了可靠保障,网络以其快速、广泛的传播,为信息获取、决策会商提供了途径,通过人机互动模式的决策会商系统,不仅可以通过资料库、知识库快速查询相关事件的历史经验与教训,相关灾害的防治方法,而且可以进行实时模拟,重演或预测水沙过程,让决策和管理者在获取大量相关信息的同时,结合自身的主观能动性,迅速制定方案,做出抉择,实施有效的灾害防治措施。

　　水沙灾害防治决策支持系统的研究与开发不仅受益于计算机与网络,而且也是洪水灾害学与泥沙灾害学等新学科发展的结果。洪水灾害学是一门以洪水的水文气象特性、洪水发生发展的机理为基础,论述洪水灾害及其防治对策的学科。洪水灾害包括天然堤坝与人工堤坝出险所产生的各类洪水灾害,防治对策包括不同工程与非工程减灾措施等。本书侧重阐述河流泥沙灾害学。泥沙灾害学是一门以泥沙运动为基础,论述泥沙灾害及其防治对策的学科,泥沙灾害包括泥沙灾害概论、流域泥沙灾害、河流泥沙灾害、河口海岸泥沙灾害、风沙灾害、生态环境影响等。防治对策包括泥沙灾害的评估、预测及防治方法等。

　　水沙灾害防治决策支持系统是以水沙灾害学原理为基础的,而洪水灾害学与泥沙灾害学又都是新兴学科,很多方面的研究还不够成熟,相信随着相关学科的进步和研究技术的发展,还会得到不断地丰富和完善。本书将对水沙灾害做一个概述,主要以黄河为研究对象,阐述黄河水沙灾害及其防治决策支持系统。由于作者水平有限,在章节安排、内容阐述等方面一定会存在不少谬误之处,恳请读者批评指正。

　　本书首先对洪水与泥沙灾害进行一般描述,然后以黄河为例,讨论三门峡水库与下游河道河床演变的专家经验,在此基础上,分析黄河下游洪水与泥沙灾害及其防治对策,最后提出洪水与泥沙灾害防治决策支持系统。全书分四个部分,共十章内容。

本书的编写与出版得到了国家自然科学基金委员会与水利部联合资助国家自然科学重大基金项目(59890200)的支持,在此谨表谢意。

本书系集体创作,撰稿人情况及其撰稿章节如下所列。

李文学,黄河水利科学研究院院长,博士,教授级高级工程师,译著有《泥沙输送理论与实践》等。负责全书的撰写与统稿。

梁志勇,水利部防洪抗旱减灾工程技术研究中心高级工程师,博士,著作有《引水防沙与河床演变》、《黄河高含沙水流水沙运动与河床演变》、《黄河水沙变化与下游河道减淤措施》等。参与本书第一、二、四、五、七章的撰写以及全书的统稿。

梁国亭,黄河水利科学研究院高级工程师。参与本书第八、十章的撰写。

向立云,水利部防洪抗旱减灾工程技术研究中心高级工程师,译著有《自然灾害风险评价与减灾对策》,参与编写的著作有《中国公共政策分析2002年卷》、《中国21世纪治水方略》等。参与本书第一、三章的撰写。

李娜,水利部防洪抗旱减灾工程技术研究中心工程师,博士。参与本书第六、九章的撰写。

盛震东,黄河水利委员会亚行项目办公室工程师。参与本书第二、四章的撰写。

作者

2002年5月

目　录

第一章 绪 论

灾害通常是指给人类生命、财产造成重大损失的自然事件或以自然力为主的事件。洪水灾害是最严重的自然灾害之一,所造成的经济损失相当严重。从泥沙运动和沉积造成的不利后果(每年约有100人量级的死亡和数百亿元人民币量级的经济损失)衡量,泥沙的确已经构成了灾害。凡是致灾因子是泥沙,或由泥沙诱发的其他载体给人类的生存、生存环境和物质文明建设带来危害,给经济带来损失,这样的泥沙事件就构成泥沙灾害[1]。简言之,造成生命、财产损失的泥沙运动或沉积过程即为泥沙灾害。泥沙过程涉及范围较广,因此泥沙灾害的类型也较多,滑坡、泥石流、水库、湖泊、河道淤积、崩塌、冲刷破坏、土地沙化、水土流失、含沙洪水中泥沙的落淤与冲击对洪泛区财产造成的损失等都可归结为泥沙灾害。

一、黄河水沙灾害

历史上黄河下游以水灾频繁、严重而著称。频繁的洪水决口泛滥和河流改道给两岸人民带来了深重的灾难。据记载,自周定王五年(公元前602年)到1938年的2 540年中,黄河在下游决口的年份达543年,总计决溢次数达1 590多次,平均三年两决口。由于泥沙淤积严重,黄河下游发生了多次规模不同的改道。在西起黄河小浪底峡谷口、北至海河、南到淮河约25万km²的黄淮海平原广大地区,都有黄河洪水泛滥的痕迹,并因此造就了黄淮海平原。

黄河的洪水以及由此挟带的大量泥沙,塑造了广袤而肥沃的华北平原,中华民族的祖先开始在这片土地上生存繁衍,并创造了古代最为灿烂的文明,成为中国社会、经济发展的中心地带。由于人类的生存和社会的持续发展需要安定的环境,人类在华北平原定居之后,约束黄河泛滥、与黄水抗争的治黄事业,随之成为黄河流域发展的一个永恒的主题。

黄河的泥沙问题一直困扰着历代的决策者和治水人,究其主要原因,在于黄河的洪水灾害与泥沙的冲淤密切相关:首先,泥沙在黄河下游河道不断淤积,使得黄河河床处于悬河状态,一旦发生决溢,应急堵口极为困难,河水倾泻而下,波及广大的平原地区,淹没范围广,泛滥历时长,常造成巨大的经济损失和大量的人员伤亡,严重时可能导致改道;其次,泥沙在河床内大量淤积,使得主流在河道内游荡迁徙频繁,没有规律,常出现"横河"、"滚河",主溜直接冲击堤防的情况时有发生,造成两岸堤防的冲决;其三,黄水泛滥后,将造成大面积耕地被粗颗粒黄沙覆盖,而长期丧失生产能力,人民流离失所,遗留下荒芜的黄泛区,导致生态环境长期损害。

因此,中国历代政府无不将黄河洪水视为"心腹之患"。"治黄"因而成为政府的主要任务之一,"治黄先治沙"是历代治黄人的基本共识。

二、历史上对黄河水沙特性的认识

人类一经定居，对其生存环境的了解和认识即告开始，并在此基础上逐步形成适应自然环境和改造自然环境的发展模式。黄河流域也不例外，特别是在黄河堤防修筑之后，对黄河水沙特性的认识更进入了一个不断深化和调整的过程。

传说中共工的"壅防百川"，鲧的"障洪水"与大禹的"因势利导，疏浚排洪"是对黄河洪水特性的最早期的争议与认识。

黄河含沙量之大，由来已久，东汉张戎就有"河水重浊，号为一石水而六斗泥"（《汉书·沟洫志》）。黄河不仅含沙量高，而且时间分布不均，明潘季驯称"黄河最浊，以斗计之，沙居其六，若至伏秋，则水居其二矣"（《河防一览·卷二》）。

历史上，以明代潘季驯对黄河泥沙冲淤现象阐述比较完整，"水分则势缓，势缓则沙停，沙停则河饱，尺寸之水，皆由沙面，止见其高；水合则势猛，势猛则沙刷，沙刷则河深，寻丈之水，皆由河底，止见其卑"（《河防一览·卷二》），"以二升之水，载八升之沙，非极迅溜，必至停滞"（《河防一览·卷二》）。这些论述，已经对黄河泥沙冲淤特性有了总体上的把握。

三、历史上的治河方略与实践

（一）古代治河方略

从传说中的共工筑堤埝挡水，大禹在此基础上因势利导、疏通河道，到现在的高坝大库，为保护黄河流域社会、经济发展的治河实践已经历了 4 000 余年。

筑堤挡洪、导洪是最古老、在许多情况下也是最有效的防洪措施。黄河比较系统的堤防建设始于战国，治河方略由以疏为主转变为以堤为主，这是人口增加、社会经济发展需要一个安定环境的必然结果。尽管此后有各种防洪方略的争议，但以堤为主的防洪政策一直延续至今。

初时的筑堤基于单纯的挡水思路，对黄河泥沙与洪水的关系基本没有认识。堤防体系形成的初期，水行低槽，流路相对通畅，堤防通常可以防御常遇洪水。随着泥沙的淤积，河床逐步抬高，而形成增修堤防与泥沙淤积抬高之间竞赛的局面，当河床淤积到一定程度，巩固堤防的能力便难抵泥沙淤积和洪水的双重压力，堤防溃决和洪水灾害随之变得日趋频繁，防洪局面极为被动。

到汉代，尤其是西汉后期，黄河下游频繁决溢，由此引出对治黄方略的争议与讨论。比较有代表性的有分疏说、滞洪说、水利刷沙说、改道说、筑堤说等治黄思想。其中带有明显政策研究性质的首推贾让三策。

上策建议"徙冀州之民当水冲者，决黎阳遮害亭，放河使北入海。河西薄大山，东薄金堤，势不能远泛滥"（《汉书·沟洫志》），以期黄河"左右游波，宽缓而不迫"（《汉书·沟洫志》）。中策建议在黄河下游多开支渠，这些支渠除有灌溉作用之外，还可以分洪减水。认为其"兴利除害，支数百岁"（《汉书·沟洫志》）。下策为单纯利用堤防防洪的策略，他认为"若乃缮完故堤，增卑倍薄，劳费无已，数逢其害，此最下策也"（《汉书·沟洫志》）。

后代对贾让的治河三策，尤其是上策，争议较多，有肯定的，也有否定的，清代靳辅对贾让上策的评价是"言之甚可听而行之必不能者，贾让之论治河是也"。实际上，历史上对黄河的治理多采用贾让所说的下策,分洪减水措施也有运用,但主要是作为堤防的辅助措施。贾让的上策虽然没有被主动地运用,但历史上黄河的几次改道,实际上是自然对其上策的选择,代价是很大的。

东汉王景治河(公元69年)后,直到唐末的800余年,黄河处于相对安流状态,这期间对黄河治理方略的讨论较少。

到五代和北宋,王景故道严重淤积,洪水威胁防不胜防。河患日盛,决口平均每2~3年就发生一次,大决溢后改道、改流和分流先后达七次之多,由此再次引发了对治河方针的思考与讨论。归纳起来主要有以下五种。

宽河缓流和遥堤约水。这种策略以宋代姚仲孙叙述的较为完整,他认为河道狭窄之处,洪水湍急,堤防易溃,建议增筑遥堤展宽,则"水缓而不迫,可以无湍悍之忧",并列举了这一治河方针"其利有八"(《长编》卷一三一)。

分流减水。这一策略认为"治遥堤不如分水势"(《宋史·河渠志》),并且在对黄河形势描述的基础上提出了一系列分水的具体建议。该策略最终导致了黄河分洪道——二股河的开通。

局部减水。这种策略包括在上游分洪(类似当今的蓄滞洪区)缓解下游洪水压力或辅助下游堵口和在大河险段开旁通引河分杀水势。前者成功的事例较多,后者对黄河而言,从实践的结果看,似乎不合适。

放任行流。鉴于遥堤缓流、分水减洪等策略未起到预期的效果,宋神宗提出了"纵水所之"、"无为而治"的方针,他论述说:"河之为患久矣,后世以事治水,故常有碍。夫水之趋下,乃其性也,以道治水,则无违其性可也。如能顺水所向,迁徙城邑以避之,复有何患?虽神禹复生,不过如此"(《宋史·河渠志》)。

疏河减淤。该策略着眼于泥沙,其代表人物是欧阳修。他认为"河本泥沙,无不淤之理。淤常先下流,下流淤高,水行渐壅,乃决上流之低处,此势之常也"(《宋史·河渠志》),建议疏河减淤,稳定下游河床。

上述各种策略,有的实施,有的半途而废,有的仅停留在议论,而黄河水患并无大的改观。到金代黄河夺淮入海,至元代,河患更加严重,直到威胁到大运河安全时,大规模治河变得刻不容缓。元末贾鲁治河即是在此背景下进行的,其基本策略还是筑堤防洪,并辅之以疏、浚、塞,维持黄河夺淮入海的格局。

由于漕运对明、清经济和国家安全具有至关重要的作用,黄河治理服从于漕运要求的指导思想一直左右着这一时期的治黄方略和实践。明朝前期的治黄方法是北堵南分、分流杀势,黄河在此期间呈多支入淮的局面,主流在南自宿迁、北至沛县之间摆动不定。

多支分流,分杀洪水水势,增加泄洪能力,用于其他河流可能不失为一种防洪的有效手段,但对于黄河这样的多泥沙的河流,无疑是一种短视的、违背黄河水沙运动规律的方法。分流的结果势必造成水流挟沙能力降低,河道淤积,水患加剧。明代前期的分流方略的结果,使得位于分流区的丰县、沛县、徐州、砀山一带水患日烈,灾害不已。

鉴于这种局面,改变治河策略势在必行,束水攻沙的治黄思路应运而生。明隆庆六年(公元1572年)万恭任总理河道,虞城一位秀才提出了"束水攻沙"、"以河治河"的设想,认为"以人治河,不若以河治河也。夫河性急,借其性而役其力,则浅可深,治在吾掌耳"(明万恭《治水筌蹄》)。以河治河的方法是:"如欲深北,则南其堤而北自深;如欲深南,则北其堤而南自深;如欲深中,则南北堤两束之,冲中间焉,而中自深"(明万恭《治水筌蹄》)。而将此法反用之,则可淤滩固堤。万恭进而总结道:"欲河不为暴,莫若令河专而深。欲河专而深,莫若束水急而骤,使由地中,舍堤别无策。""夫水之为性也,专则急,分则缓;而河之为势也,急则通,缓则淤。若能顺其势之所趋,而堤以束之,河安得败?"(明万恭《治水筌蹄》)。这些论述已在很大程度上把握了黄河水沙运动的总体规律,体现了治黄必须水沙兼治的科学方法,是对历史上治黄成功经验的总结与发展。自此,筑堤束水、以水攻沙、淤滩固堤的治河方略形成,并成为此后治黄策略的主流。

将上述思想成功运用到治黄具体实践中的代表人物是明代潘季驯和清代靳辅。潘季驯的办法是筑缕堤束水攻沙,以遥堤拦洪防溃,建格堤淤滩固堤,而形成了一套较完善的"以河治河"的堤防措施体系。明代时,黄、淮合流入海,潘季驯又提出并实践了以淮河清水刷黄河泥沙的"蓄清刷浑"的方略,即利用洪泽湖蓄淮河清水冲黄河泥沙。

靳辅基本上全面继承了潘季驯的治黄方略并有所发展,例如他认识到入海口淤积必将波及到内河:"关外之底既点垫,则关内之底必淤"(《行水尽鉴》),而强调对河口泥沙施行"束堤攻之"和"挑浚导之"的治理措施。认识到超过堤防约束能力的洪水必将发生,靳辅在黄河沿岸和洪泽湖东岸修建了二十几座滚水坝,总分洪量达到 10 000 m^3/s 以上,并在堤防修筑后所涸出的原有的黄泛荒地和分洪后所淤出的土地上屯垦,以补修防。

束水冲沙的思想及相应的具体措施若运用得当,"总以因势利导,随时制宜为主"(陈潢),虽然在相当时期内可以稳定黄河河道,但束水并不能冲尽黄河泥沙,河高堤增的总趋势仍然存在,当淤高到一定程度,则会出现工大费巨、岁修岁坏、劳民伤财、被动防洪、难以为继的局面。基于这种认识,在明、清时期则有"分黄导淮"和"两河轮流行水"的治黄方略提出。"分黄"是开新河,使黄河多支入海;"导淮"是既开辟淮河入海水道,又引淮河部分支流入江。这一方略在明潘季驯后由总督漕运杨一魁具体实施。据说工程完成后,"泗陵水患平,而淮扬安"(《明史·河渠二》)。不久,黄河在徐州以上决口,"分黄导淮"偃旗息鼓。而"两河轮流行水"仅限于议论。

我国现代水利的先驱李仪祉先生在肯定潘、靳治水方略的基础上,认为黄河治理需上、中、下游综合考虑。上、中游治理重点在减少入河泥沙,措施是设谷坊、植畔柳、开沟洫、修道路;下游除建顺坝、丁坝稳定主溜外,并建护滩坝达到淤滩、固滩、刷槽的效果。

(二)古代治河实践

历史上成功的治河都是建立在审时度势,对黄河水沙特性正确认识基础之上的。借鉴古人成功的经验,而不拘泥于古人的具体做法,"总以因势利导,随时制宜为主","水沙兼治",是治黄的不二法门。

大禹、王景、贾鲁、潘季驯、靳辅是历史上成功治河的代表人物。

相传在尧、舜、禹时,黄河流域连续发生特大洪水。为治理黄河洪水,先是各部落首领共推鲧治水,他沿用共工筑堤埂围护居住地和田地的办法,未果。各部落又拥戴禹治水。禹的治水策略是因势利导、疏浚排洪,收到了"水由地中行……然后人得平土而居之"(《孟子·滕文公下》)的效果。

大禹治水后 1 000 多年间,基本上没有大洪水的记载,到公元前 602 年,黄河大改道,约600年后(公元11年),黄河发生了有记载以来的第二次大改道。公元69年,王景受命治河,修卞渠,筑自荥阳东至千乘海口千余里河堤。"商度地势,凿山阜,破砥绩,直截沟涧,防遏冲要,疏决壅积,十里立一水门,令更相洄注,无复溃漏之患"(《后汉书·王景传》)。王景治理黄河的主要办法仍是筑堤约束洪水,商度地势,稳定了公元11年决口改道后的河床,选择了一条最短的入海路线。

王景治河以后,黄河维持了800多年的相对安流的局面。唐末以后,由于自然和人为的因素,黄河进入多灾多难期。北宋时期,虽倾天下一半之财力治河,河患仍日盛一日,几乎年年决溢,大决溢后改道、改流和分流达7次之多,而有宋神宗放任行流,迁城邑以避之的消极主张。到金代,黄河夺淮入海,开始了700余年的黄、淮合流的历史。

元末,为防黄河北侵影响漕运,公元1351年朝廷下决心,命贾鲁为总治河防使,治理黄河。贾鲁治河的基本方针有四:挽河南流,避开黄河对漕运的威胁,疏、浚、塞并举,先疏后塞,做到一举成功。全部工程历时7个月完成,奠定了黄河会淮入海的基本格局。贾鲁的疏、浚、塞的治河思想,对河势的规划、施工组织部署,以及障水堵口技术等,都为后来的治河者所遵从和借鉴。

到明嘉靖后期,黄河河势变得极为混乱,特别是在徐州、沛县、砀山、丰县一带更是串沟众多,洪水横流,"贾鲁故道"几乎完全淤废。这一局面与此前实行的多支分流的方略密切相关。分流治河方式失败,束水攻沙的思想便应运而生。首先阐述束水攻沙设想并运用于治河实践的,是明隆庆年间的河臣万恭,此后的潘季驯和清代的靳辅,是实现这一方略的集大成者。

潘季驯在四任总理河道期间,对"以河治河、束水攻沙"策略采取的具体措施是,修筑双重堤防,以缕堤束水攻沙,以遥堤拦洪防溃,缕堤与遥堤之间设格堤,既保护遥堤堤根不受洪水冲刷,又可淤滩固堤(图1-1)。鉴于黄、淮在清口以下合流的具体情况,潘季驯又提出了逼淮入黄,利用洪泽湖蓄淮河清水,冲刷清口以下黄河河道泥沙的措施,以缓解此段河道淤积抬高的速度(图1-2)。靳辅基本上沿用并进一步完善了潘季驯的治河措施体系。

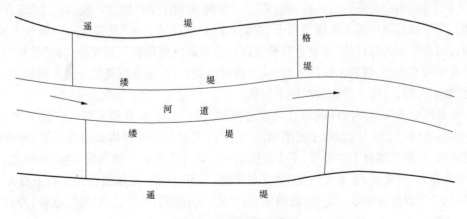

图1-1 双重堤防示意图

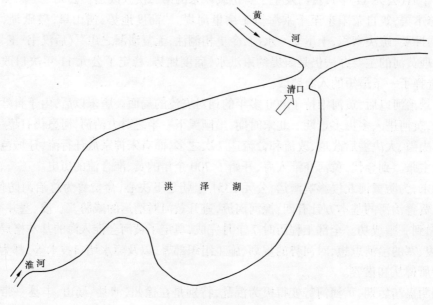

图 1-2　蓄清刷浑示意图

(三)现代治河方略

黄河水患集中于下游,而下游洪灾的形成则主要是由于泥沙太多,致使河道不断淤积抬高、排洪能力日益降低。我国历代在治理黄河洪水灾害的过程中,积累了丰富的经验,一代又一代治黄专家提出和总结了许多治黄方略,为我们留下了宝贵的财富[2~4]。

治黄方略是历代专家在总结前人实践经验的基础上,针对当时黄河的实际情况提出的,对当今治黄起到了相当的借鉴作用。历代治黄的措施主要包括分流分洪、筑堤防洪、束水攻沙、蓄洪滞洪和拦沙蓄水等。

新中国成立后,黄河的治理方略经历了一个从单一治理到综合治理的阶段。在 20 世纪 50 年代采取"分段拦泥"、"宽河固堤",60 年代的"蓄水拦沙"或"上拦下排",70、80 年代的"上拦下排、两岸分滞"、"拦、排、放、调",一直到 90 年代的"拦、排、放、调、挖"综合治理措施。"拦"就是靠中游水土保持和干、支流水库拦截泥沙;"排"是保证一定输沙水量,利用现行河道排沙入海;"放"主要是靠黄河以及沿黄灌区处理和利用泥沙;"调"是利用干流骨干水库调节水沙,以利于排沙入海,减少河道淤积;"挖"是采取机挖方法处理泥沙,挖河淤背、加固大堤,以逐步形成相对地下河❶。

在黄河治理从单一治理向综合治理过渡的过程中,学术界和工程界有过三次热潮。第一次在 20 世纪 50 年代,新中国刚刚成立,国内工程与研究机构如雨后春笋,海外学子纷纷回国,一派蒸蒸日上的情景,不少黄河治理方略浮出水面。第二次是在 70 年代末期,"科学的春天"到来了,学术界恢复了"百花齐放、百家争鸣",在郑州召开了有上百人参加的黄河中、下游治理学术讨论会,政治家、科学家、工程师们各抒己见,畅所欲言,为黄河的

---

❶ 黄河水利委员会.黄河重大问题及其对策.1999

治理出谋划策,涌现出了很多治黄思想❶。第三次是进入 21 世纪以后,黄河水利委员会提出了"三条黄河"的治黄构想,在互联网上进行了黄河治理开发新思路的征文活动,涌现出了很多新思想、新方法,也推动了治黄事业的发展。以下对重要学者的治黄方略做一简要介绍。

1.方宗岱的高含沙放淤或输沙入海方略

1975 年渭惠渠出现高含沙水流(含沙量 700 kg/m³)输沙 50 km 而不淤,据此方宗岱于 1976 年[5]提出了利用高含沙水流调沙灌溉或放淤处理黄河泥沙,并从根本上治理黄河的设想。他建议小浪底水库建一条进口位置较低、出口较河床为高的排沙隧洞,利用高含沙水流通过排沙隧洞(或明渠)调沙放淤至黄河两岸低洼地区,既节约了水量,又能使黄河基本上行清水,使河槽受到冲刷,从根本上治理黄河。

方宗岱认为,含沙量大于 500 kg/m³ 的高含沙水流是一相流并具有非牛顿体性质,具有较大的宾汉极限切应力,足以支持泥沙不下沉而实现远距离输送,可以在万分之一点五的比降下用管道或渠道输沙入海或向两岸放淤。当时主要有以下几点异议:①高含沙水流一般属于两相流,需要一定的粗细颗粒泥沙的比例搭配。细颗粒泥沙过多容易形成一相层流,阻力增加;粗颗粒过多,则输沙能力又不会很大。②河道高含沙水流大属于宾汉体,但不是一相流,沿程有大量淤积。

后来的研究表明,黄河高含沙水流多属于非均质两相流,在紊流发展的情况下,宾汉极限切应力趋近于零。

2.钱宁等的调水调沙治黄方略

河流的演变主要取决于流域的来水来沙与河道边界条件。治黄不仅可以通过改变河流的边界条件(如加高、加宽大堤,修建控导工程等),也可以通过利用水利枢纽工程来调节进入下游河道在水沙过程,使下游河道朝着有利的方向发展。

钱宁等[6,7]曾建议,可利用人造洪峰下泄清水冲刷下游河道,利用水库进行"拦大沙、排小沙"、"拦粗沙、排细沙";认为"淤槽不如淤滩"、"淤窄河段不如淤宽河段",提出可在下游河道修建干流旁引水库或支流水库,创造使下游洪水漫滩的机会,在非汛期预蓄一部分清水,待干流洪水来临后,还可利用干流旁引水库或支流水库进行补水,加大洪峰流量,使下游河道普遍漫滩,将大量泥沙淤积搬到滩地上,为下游河槽的长距离冲刷创造有利条件。

后来的研究表明,利用人造洪水冲刷下游河道的距离可能是有限的,甚至会冲了上段淤了下段。另外,从现今的发展来看,水资源矛盾日益突出,利用黄河流域之水进行排沙几乎不可能;而且,洪水漫滩后也会造成一些环境和社会问题(如滩区群众生活问题等)。

3.尹学良的大、小水分流方略

尹学良在 1964 年就指出黄河的害沙是小水期的粗颗粒泥沙,认为黄河问题的关键是小水期河槽不断淤积抬高,排洪能力逐渐下降。提出利用上、中、下游水库来调节水流过程,避免下游河道的小水期淤积。

后来根据当时西河口大堤防洪高度、河道特性、海域容沙输沙特性等计算,得到当时

---

❶ 中国水利学会黄河中下游治理规划学术讨论会秘书处.黄河中下游治理规划学术讨论会简报.1979

河口能再用 50 年,西河口水位也不会超过当时西河口大堤的防御水位,而且留有较大的富裕安全度。尹学良认为河口河槽有大水冲刷、小水淤积的特点,提出了大、小水分流治理黄河的设想,将使河槽淤积的小水从小浪底水库或郑州以上分流到黄河的一岸或两岸,让小水沿黄河之外的"渠道"顺黄河的方向而下行,或灌溉农田,或进行淤背加固大堤,或流入大海,同时河口流路的使用年限还能大大延长[8]。

尹学良所提出的大、小水分流治黄思想虽然没有实现,但是为了避免小水期淤积而不下泄小流量的调节方式已经为大家所接受,并成为小浪底水库的调度方式之一。

4. 齐璞的高含沙调水调沙方略

齐璞以渭河为例,认为中、小洪水造成渭河下游淤积,南山支流来清水造成河道冲刷,泾河发生高含沙洪水时下游河道也发生冲刷。他指出河流治理中存在两个治理方向,一是清水治河,二是高含沙水流治河。齐璞认为黄河下游的来沙有粗有细,通过水库调节可能形成高含沙水流,提出了进行人造高含沙水流治理黄河的设想。一方面可以塑造窄深河道,另一方面通过高含沙水流将黄河的大量泥沙输送入海,从而减缓下游河道的泥沙淤积。

随着认识的深入,有的学者指出了窄深断面情况下高含沙水流输沙的局限性,认为窄深断面形态有利于高含沙水流的稳定输送,但窄深断面有相当的不稳定性,在中、小含沙量情况下河道两岸往往出现坍塌,窄深断面难以维持,造成高含沙输沙时泥沙的大量落淤。齐璞也注意到了宽浅游荡河段与高含沙水流输送的关系,从渭河、北洛河的水沙条件与河床演变关系出发,认为只要能人为地产生历时较长、流量比较稳定的高含沙洪水,再借助对宽河道的整治,促使河槽稳定,并利用水库联合调度使黄河下游成为排泄洪水或高含沙洪水的通道,可从此解决黄河下游的泥沙淤积问题[9]。

5. 费祥俊的渠道高含沙长距离输沙入海方略

费祥俊结合上述高含沙与大、小水分流两种治黄策略之优势,指出可以利用高含沙水流将水库之泥沙引入渠道到两岸放淤,从而大大减轻高含沙水流对河道的危害[10]。

费祥俊认为,天然河道与渠道高含沙水流输沙不同。其主要区别在于:①虽然二者可能均为非均质两相流,存在输沙的不淤流速,但其不淤流速的大小有所不同。在同样条件下,天然河道的不淤流速多大于渠道的不淤流速。②窄深断面有利于高含沙水流输送,天然河道与渠道的断面形态参数也相差较大。这种差别将导致输送同样含沙量泥沙,河道的比降不得不远大于渠道的比降。正因为如此,天然河道不可能长距离输送含沙量较高的浑水。

实际上以上两个差别是随泥沙粗细与组成以及断面形态而变化的,在特定条件下也可能不再存在。例如渭河下游常常泥沙颗粒较细、断面形态较为窄深,所以出现长距离输沙不淤的情况。

6. 胡一三的宽河定槽方略

"宽河"是指河流两岸堤防间的堤距宽,河道面积广;"定槽"是指稳定河流的中水河槽。胡一三认为:宽河可以削减洪峰,滞蓄洪量,减轻下游的防洪压力;宽阔滩区落淤沉沙可以减缓河床的抬升速度,通过洪水期滩槽水流交换,淤滩刷槽,保持河槽的排洪输沙能力;由于滩区淤积,减少了输向河口的泥沙,在某种意义上宽河可以延长河道的寿命。

河势演变往往危及堤防安全,需要稳定中水河槽。实践表明,河道整治可以稳定中水河槽,并在防洪、工农业生产及滩区安全中发挥明显作用。滩区是洪水通道,又居住有居民,必须进行安全建设。治河实践,尤其是近半个世纪的实践表明,"宽河定槽"是黄河防洪的有效策略[11,12]。

(四)评述

自有人类在黄河流域定居、繁衍以来,与水争地、与沙争地便在所难免。在4 000余年的与黄河水沙灾害不断抗争的过程中,人类对黄河水沙特征已有了较全面的认识,并摸索和总结出了相对成功的治黄工程措施。

水沙兼治是治黄必须遵循的基本原则之一。黄河的高含沙量使其具有善淤、善决、善徙,水灾频繁的特性,脱离了治沙的治黄策略通常是不可能成功的。

对于黄河水沙灾害,历史上提出过许多治理方略,例如贾让的治水三策,后汉明帝和宋神宗的放任自流、避水而居、随高而处,汉代提出的、明宋时期曾采用的多支分流,清代有人提出的两河轮流行水等。从成功治河的先例看,筑堤束水防洪是治理黄河水患的有效手段,王景、贾鲁、潘季驯、靳辅、陈潢等治河大家的实践证明了这一点。

与其他河流的堤防不同,由于担负水沙兼治的双重任务,面临着因泥沙运动造成的主溜游荡、河势善变的河道演变特征,黄河的堤防体系更为复杂(图1-1),综括起来可归纳为治导、束水、固滩、防洪四个方面。丁坝、顺坝(缕堤)兼有治导和束水功能,稳定河势、束水攻沙;固滩则依靠格堤、丁坝、固滩坝[3]以及滩地植被等使泥沙落淤来实现,对于固滩的作用,有"守堤不如守滩"之说;黄河大堤(遥堤)则担负防洪的任务,这一堤防体系一直沿用至今。对超过大堤标准的洪水,古时用滚水坝有控制地将洪水滞蓄于某一区域,现在则将其蓄于水库或滞洪区内。

"以河治河"、"以河治沙"是在对黄河水沙特性及其运动规律深刻认识的基础上总结出来的一项根本性治水治沙方针。束水攻沙、淤滩固堤、蓄清刷浑、蓄清排浑是实现这一方针的具体措施,往往能达到事半功倍的效果。1935年李仪祉先生在《利津以下筑堤不如巩岸论》一文中曾提出完全通过利用黄河水沙特性渐次形成天然高岸的设想,可以说达到了"以河治河"、利用泥沙特性的最高境界,与目前所提倡的可持续发展、风险管理和人水协调的治水思路基本一致,惜乎未能实施。文尾先生感叹:"假使黄河向来无有堤防,而年受漫溢之患,则余敢言起始即用此法,可以不使河病如今日之甚。既往者不可追矣,未来者宁可再蹈其覆辙哉?"

虽然合理的堤防体系可使黄河在较长时期内安流,但河床因泥沙淤积日益抬高则是总的趋势。不筑堤则水患不断,受黄河洪水威胁区域的社会、经济发展难以获得相对安定的环境;筑堤则河床抬高不可避免,与之相应的是工大费巨,变成加高培厚堤防与河床抬高之间的恶性竞赛,最终则不堪重负、防不胜防,岁修岁坏,酿成大决堤和改道,几成黄河千古不变的定式。面对这种进退两难的困境,一些人主张分流,一些人(如汉明帝、宋神宗、清代陈法等)倡导被靳辅认为是"言之甚可听而行之必不能"的贾让的上策,一些人则开始从泥沙来源考虑,将治理黄河的思路向中、上游扩展。

一些人将西汉末年到唐末800多年黄河相对安流的原因归结为这一期间黄河上、中游植被良好,入黄泥沙大量减少,而中唐以后,植被遭破坏,黄河泥沙增多,所以河患愈演愈烈[13]。李仪祉先生也将黄河治本的方略放在中、上游产沙区,具体措施是开沟洫、筑谷坊、植畔柳、修道路,以减少入黄泥沙量。

上、中、下游综合治理,治本与治标相结合将是未来防治黄河水沙灾害的基本方略。通过对上、中游入黄泥沙的控制,下游巩固堤防,辅之以水库的调水调沙,或可期望黄河维持长治久安的局面。

四、水沙灾害防治决策系统

决策支持系统(Decision Support System, DSS)是一门新兴的边缘学科,是以计算机为基础的、能够协助决策者利用数据库和模型库进行决策的人机交互作用系统,它涉及统计学、运筹学、知识获取、数据可视化、高性能计算、专家系统、行为科学、系统理论等学科的相关知识。决策支持系统的产生,从意识、目标来讲,它是人类长期以来探索不仅能够进行计算,还能够模拟人类大脑思维、推理等活动的智能机器的必然趋势;从理论基础来看,它是控制论、信息论、系统论、计算机科学、神经生理学、心理学、数学、哲学、社会经济学等学科相互渗透的结果;从物质技术基础来看,它是电子计算机技术的出现及其迅猛发展的结果。

水沙灾害防治决策支持系统是有效地减少洪水与泥沙灾害损失的科学决策方法,也是防汛指挥系统工程的重要组成部分。水沙灾害防治决策支持系统的研究开发应考虑以下几个方面的内容:

(1)分析水沙灾害的一般情况,对水沙灾害进行分类总结,形成知识库;

(2)对历史水沙灾害现象进行分类总结,形成信息库;

(3)根据水沙灾害的特征以及历史水沙灾害的经验与教训,提出灾害防治的一般方法,形成专家经验库;

(4)建立水沙灾害模拟的模型库,利用模型库可以进行不同情况或方案的计算模拟和预报;

(5)建立与水沙灾害基本信息有关的其他信息库,如水文信息库、社会经济地理信息库等;

(6)利用知识库、信息库、专家经验库、模型库等进行符合实际的逻辑判断、快速准确地计算、大容量的信息检索与分类等,提供良好的人机交互系统,与人的创造性、随机应变能力、主观意愿相结合,形成决策支持系统或会商决策系统。

决策支持系统的开发可以分为三个阶段:

(1)“人工”阶段:这一阶段为决策系统建立的初级阶段,所有工具和系统都是由决策系统完成者或专业人员将专家知识编辑成某一工具、系统或知识库,将专家经验编辑成信息库,并利用有关信息进行检验,生成所需的水沙灾害防治决策支持系统或其子系统。在这一阶段,系统的正常运行往往需要专业人员或经过培训的管理人员进行编辑与校正,人工干预较多,可谓“人工”阶段。

(2)“傻瓜”阶段:尽管“人工”阶段通过简单培训管理者就可能学会使用,但仍需要熟悉如何将专家知识、经验转化为按知识描述语言规定的格式进行编辑。当决策支持系统发展到“傻瓜”阶段后,用户不必了解决策系统的术语、词汇、甚至机器语言,就可以完全按照水沙灾害领域的思维方式和专业术语去使用、甚至引导专业技术人员去整理知识经验。这一阶段的决策支持系统功能强大，但是实现的难度也较大。

（3）"拟人"阶段：无论在"人工"阶段还是"傻瓜"阶段，其中获取的专业知识、经验大多数是由专家或技术人员总结得到的。但在实际情况中，还会碰到缺乏某些经验知识、但却有足够的实例或数据等情况。因此，能够获取信息、归纳经验、总结规则、做出推论的"拟人"阶段才是决策支持系统的最终目标。

我国开展决策支持系统的时间并不很长，因此很多系统都只能算作初级阶段，本书的工作就是在这方面的一个尝试。本书首先对水沙灾害进行一般描述，然后以黄河为例，讨论三门峡水库与下游河道河床演变的专家经验，在此基础上，分析黄河下游洪水与泥沙灾害及其防治对策，最后提出水沙灾害防治决策支持系统。全书共分四个部分十章内容，如图1-3所示。

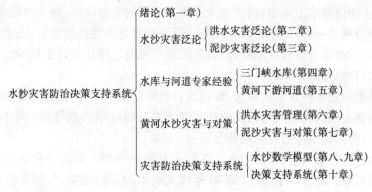

图 1-3 本书内容框图

参 考 文 献

1 景可,李凤新.泥沙灾害类型及成因机制分析.泥沙研究,1999(1)

2 黄河水利委员会.当代治黄论坛.北京:科学出版社,1990

3 黄河水利委员会.李仪祉水利论著选集.北京:水利电力出版社,1988

4 武汉水利电力学院,水利水电科学研究院.中国水利史稿(上、中、下册).北京:水利电力出版社,1987

5 方宗岱.论非牛顿体高含沙水流治理黄河的理论基础.力学进展,1980(3)

6 钱宁,张仁等.从黄河下游的河床演变规律来看河道治理中的调水调沙问题.地理学报,1978,33(1)

7 钱宁等.泥沙运动力学.北京:科学出版社,1982

8 尹学良.论治黄方策.见:中国水利水电科学研究院科学研究论文集(第11集).北京:水利电力出版社,1979

9 齐璞.开辟黄河下游河道治理的新途径.中国科学报,1997(2)

10 费祥俊.高含沙水流长距离输沙机理与应用.泥沙研究,1998

11 胡一三主编.中国江河防洪丛书:黄河卷.北京:中国水利水电出版社,1996

12 胡一三.略论黄河的宽河定槽防洪治河策略.水利学报,2001(3)

13 谭其骧.何以黄河在汉以后会出现一个长期安流的局面.学术月刊,1962(2)

第二章 洪水灾害泛论

河流是人类的摇篮,是人类繁衍与生存的依靠。从生活用水、航运、渔业和农业灌溉,到修堤筑坝、引水发电,无处不显示出人类对河流依赖的重要性。河流具有两重性:一方面,当其来量不对人类生存和发展空间构成危害时,它是一种资源;另一方面,当其来量过大而成为洪水,对人类生存和发展空间造成冲击与破坏时,则是一种巨大的灾害。

对于人类来讲,河流意味着什么? 我们可能会很快地作出回答:河流之水滋润了土地,也养育了栖息在大地之上的人类;河流之水为人类提供了巨大的水能,才有了清洁的水电能源,有了便捷的水上运输;河流之水美化了人类的生存环境,为人类带来乐趣。

这虽然是有利的一面,但并不总是现实。因为河流总是要泛滥洪水,人类活动还在造成环境破坏,随着河流开发程度的提高,良好的水库或电站坝址会越来越少。所有这些都会随着世界人口的膨胀而加剧。

我们所寻求的是一种现实的观念,即在所有的限制条件下,包括自然的、人工的,文化的、经济的,能够实现的观念。对河流的现实观需要对所有限制条件有一个良好的、全面的理解,例如这些限制条件的变化趋势等。

影响河流之水的因素很多,而河水也在很多方面影响着人类的生存方式。本章讨论河流洪水及其影响因素。由于 20 世纪 90 年代大洪水的不断发生,气候变化也可能会使洪水发生更加频繁,洪水已引起更为广泛的关注。

洪水灾害对社会经济的影响主要是:①危及人民生命安全,有可能造成一定数量的人员伤亡;②破坏社会财富,造成巨大经济损失,可能使受灾严重的地区和家庭长期的财富积累毁于一旦;③自然资源和社会基础设施遭到损毁,如土地被冲毁、生态环境遭到破坏、交通通讯中断等;④恶化环境,如扩散污染物,传播疾病,造成社会秩序的混乱等。特别严重的洪水灾害,可能造成大量人口死亡,各种基础设施和社会财富遭受毁灭性的破坏,引起社会长期动荡不安,同时造成难以恢复的环境灾难。

第一节 洪水概述

一、人口

截至 1996 年,世界人口已经突破 56 亿,现在的人口增长率在发达国家相对较低,约为 1.0%～1.5%;在南美洲和亚洲的大多数国家,人口增长率为 1.5%～2.2%;而在中美洲和非洲,人口增长率高达 3%[1]。

在过去的 20 多年里,虽然发展中国家一直在提高生活水平,但据世界银行 1996 年估计,仍然有约 10 亿人生活贫穷,而其中大部分人生活在水灾频繁发生的地方。

二、环境

关于环境,世界银行 1996 年曾经有以下描述:

"在环境质量与经济增长之间有一种相关关系。没有好的环境,就会损害发展;在贫穷国家若没有不断的经济增长,环境政策就会失败。环境变坏的核心问题就是经济没有发展,如卫生设施不足、缺少清洁之水……空气污染、土地恶化……没有发展,人口的快速增长会导致环境进一步恶化。

经济活动的增加也使一些问题更加突出……工业污染、能源污染、采伐森林……另一些问题则随着收入的增加而淡化……"

其中提到的卫生设施不足、缺少清洁之水……空气污染、土地恶化等问题可以进一步理解为没有足够的水来生产粮食,没有足够的水来发展工农业,没有足够的水供给饮用。

三、河流

河流及其洪泛区走廊不仅在人类利用方面起着重要作用,而且在自然生态系统中也起着一系列作用,包括:

(1)将径流和泥沙从流域输送入海;

(2)生物的栖息地;

(3)水资源(饮用水及工农业用水);

(4)排泄废弃物;

(5)水力发电;

(6)航运;

(7)渔业;

(8)休闲娱乐。

因此河流是自然、人类社会和经济系统的基础,可以从以下几个方面讨论河流的重要性。

(一)河水灌溉

全世界可以灌溉的耕地大约只有 17%,约 3 亿 hm²,而其生产的粮食却占世界粮食总产量的 40%左右。灌溉用水大多是从河流引水,占全世界耗水量的 70%,远远超过生活和工业用水。

(二)河水发电

水电占全世界发电总量的 20%左右,相当于世界能源利用的 7%左右。利用水电比例较高的国家有:挪威 100%,巴西 90%,奥地利 70%,加拿大 66%,巴基斯坦 40%[2]。

(三)洪水

洪水常常造成财产损失、甚至人身伤亡。表 2-1 给出了世界范围内的大水灾造成的人身伤亡情况[2,3]。

进入 20 世纪 90 年代以来,洪水更是频繁,虽然人身伤亡情况有所减少,但洪灾损失却增加。

表 2-1	各国大洪灾	
年份(年)	地点或河流	死亡人数(人)
1421	荷兰	100 000
1530	荷兰	400 000
1642	中国	300 000
1887	中国的黄河	900 000
1900	美国得克萨斯州加尔维斯敦市	5 000
1911	中国的长江	100 000
1931	中国的长江	145 000
1935	中国的长江	142 000
1938	中国的黄河	870 000
1949	中国的长江	5 700
1953	荷兰	2 000
1954	中国的长江	30 000
1960	孟加拉国	10 000
1963	意大利	1 800
1979	印度	15 000
1991	孟加拉国	139 000
1991	菲律宾	6 000
1991	中国的淮河	2 900
1998	中国的长江	1 562

四、可持续发展

自从 1992 年里约热内卢世界峰会以来,可持续发展的理念已经广为接受,很多国家都把可持续发展作为基本国策。可持续的含义是"在不危及子孙后代需求的前提下满足现在的需求"[4,5]。然而,这一原则的实施却有相当大的难度,因为必须从全盘的、长期的角度来评价发展的影响。作为流域的可持续发展,应当包括:

(1)社会、法律、政策的制定;

(2)土地利用、工农业的空间规划;

(3)未来气候变化及其影响的展望;

(4)未来人口、资源需求、贸易、社会需求等的展望。

需要进一步提高普通公民以及专业团体对可持续发展理念的理解,洪泛区的可持续发展和管理不仅应在技术和经济上可行,而且也应当在社会和政治上可行。传统的规划往往局限于有限的政治家和专业人士,未来的规划应当面对有关公众。

(一)管理问题

洪水管理的有关课题是流域综合管理课题的一部分。要实现可持续发展,还面临着很多挑战,包括:

(1)缺乏广泛的公众理解;

(2)一个流域往往跨越不同的行政管理区域;

(3)官僚主义;

(4)在水行业中新的参与者,如非政府组织;

(5)对工程措施的偏爱;

(6)缺乏多学科的交叉;

(7)适当地利用新技术;

(8)法律问题。

在流域的综合可持续发展和管理过程中,公众、政治家和专业人士的共同参与是必要的。美国和欧洲一些国家的经验表明[4,6,7],洪水风险及管理与可持续发展有多种联系,例如公众参与决策、保持生态系统的完整性和多样性等,而公众的参与在大多数国家还很少。

为了达到可持续发展,可能会碰到以下问题:

(1)与其他流域管理实践比较,提出综合措施;

(2)可持续发展的准确时间表;

(3)对可持续发展和管理人员的培训;

(4)利用更为环保形式的河流工程和护岸措施。

(二)法律、法规问题

防洪减灾方面法律、法规的制定将为实施相关的技术和经济措施提供可靠的保障,这些法律、法规包括以下内容:

(1)国家和公众关心的风险的鉴定;

(2)与个人相关的风险的鉴别;

(3)政府机构采取的措施对个人的影响。政府机构的行为是为了公众的利益而不是为了某一个体的利益;

(4)促进国家和个人之间利益的平衡,推动公众对风险的理解;

(5)达到这一平衡所受到的国家和个人财政限制的影响。

(三)工程与非工程措施

防洪的工程措施和非工程措施的哲学思路是不同的。从历史上看,人类一直在通过兴建堤防、水库来为居住在洪泛区的人们提供安全保障。然而,作为一种自然过程,洪水依然会出现,因此,洪泛区分区、洪水预警等非工程措施是必需的。现有的基础和管理体制会与洪泛区可持续发展的政策发生冲突,人类将面临新的抉择。

从可持续发展的角度看,与洪水共存比与洪水抗争更为有利,流域管理或洪水管理多采取非工程措施更为有利。这些措施包括:利用洪泛区调节洪水过程、避洪工程、洪水保险等。

(四)回归自然

人类能够停止改造自然吗? 人类愿意让河流回归自然吗? 人类能够让洪水回归自然吗?

为了实现可持续发展,让河流回归自然在一些发达国家已经成为重要话题,甚至在某些国家开始了实施。让河流回归自然的目标大多是把河水引入洪泛区,维护生态系统的多样性。这样,河流的景色得到了美化,洪泛区内洪水的调蓄作用也得到了恢复。因此,只要在社会和政治上可以接受的地方,恢复洪泛区的做法是应当鼓励的。需要注意的是,在让河流回归自然的同时,应当与土地利用结合起来,以实现河流与土地共同的可持续发展。

河流是一个动态的系统,从小规模的河床演变到大规模的河流变迁,究竟让河流回归到哪一个自然状态呢?而且,并非所有的人类干预和自然变迁都能够恢复。因此,回归的目标应当与某些特定的栖息地及其需求相联系,这样,通过河床演变、生态、水文等方面的专业技术人员共同制订回归方案。对于范围较广的回归计划,还应当对各种因素之间的相互影响进行模拟,对于模拟河流回归而言可能需要三维模型,同时应注意河床演变与生态学之间的联系。

恢复河流中动、植物的栖息地会随着物种的交替而变化,而且也并不一定能够恢复这里原有物种的多样性。虽然从保护物种多样性的角度来看,让河流回归自然是值得鼓励的,但是在很多地方,会对土地利用产生影响,会与当地的利益发生冲突。因此,应当鼓励公众参与到河流回归的计划中来,以保证这种行动既能够让社会所接受,又能够保持河流的可持续发展。

第二节　防洪减灾学概论

在防洪史上,很多国家都有防洪工程和防洪条文或法规,我国更是如此。早在公元前3世纪,人们就试图进行防洪。在宋代,皇帝曾发出圣旨要制订一个洪水提前预警战略。当河水水位超过7.5尺(约2.5 m)时,将派3 000名侍卫去保护河岸[8]。然而,随着人口的膨胀、社会和经济的发展,洪泛区的土地都不断得到开发和利用,潜在的洪水威胁也日益增加,洪水发生的频率和洪灾的严重程度也明显增大。当然,气候变化也可能是其中的一个原因。

一、减灾措施

防洪减灾不仅依赖于洪水期间的行动,而且还与洪前准备、洪水预案以及灾后重建和恢复有关。主要包括以下三个方面:

(一)洪前准备

(1)对不同原因引起的洪水进行风险分析;

(2)突发灾害规划:撤退路线的选定、紧急政策法的制定、紧急状态下公共服务和基础设施的建立;

(3)防洪基础设施的建设:包括工程措施和非工程措施(如预报预警系统);

(4)防洪基础设施的维护;

(5)全流域内土地利用的规划与管理;

(6)阻止洪泛区内不合理的开发;

(7)公众信息与教育:包括洪水风险和洪水应急期间所采取的行动。

(二)洪水管理

洪水管理是以下四项活动的结果:

(1)洪水形成可能性的监测(水文学和气象学);

(2)从水文气象观测资料进行短期的洪水预报；

(3)就洪水发生的规模、大小和时间对有关当局和公众进行预警；

(4)当局和公众对应急作出反映。

(三)救灾

灾后行动与洪灾的大小和严重程度有关,救灾一般包括：

(1)洪灾影响地区的必需品的救济；

(2)损坏建筑物、基础设施以及防洪设施的修复和重建；

(3)灾区环境和经济活动的恢复和重建；

(4)对有关洪水管理的行动作出评价,为该地区或其他地区类似灾情的规划和洪水管理提供经验。

实际上,洪水风险的降低需要通过向处于风险的公众提供有关制度、条文等几方面努力。为了进行全面的洪水管理,还需要不同学科专业人员的合作。大多数发达和发展中国家这些专业人员都参与在公共部门,因为流域的管理常常是通过国家或地方政府部门、机构进行的。例如,气象学者与水文学者应加强合作以便促进洪水预报,工程师、规划人员和生态专业人员应加强合作进行防洪减灾规划。

很多传统的减灾措施都是工程措施,例如堤防、水库、分洪道等。这些工程对沿河的环境和生态有相当的影响,不过现在很多工程的上马已经要求有详细的环境影响评价,例如 2000 年进行的亚行"黄河下游洪水管理"项目。

然而,许多较大的防洪工程都已经完成,未来的防洪措施应当是符合可持续发展的,这一理念将影响人们选择降低洪水风险的措施。因为不断加高堤防是不利于可持续发展的,这会加大洪泛区对于洪水灾害的脆弱性。而为了可持续发展,防洪非工程措施将会增加。

非工程措施影响着洪水风险的脆弱性,它们包括：

(1)流域规划政策,避免或限制在洪泛区进行经济活动；

(2)建立法规,控制流域中的额外径流；

(3)减少洪水以及洪泛区利用的脆弱性；

(4)引入有效的预警系统,包括不同的应急响应计划；

(5)防止洪灾损失的洪水保险；

(6)对公众进行洪水风险教育,鼓励投入降低洪水损失的个人措施。

二、洪水风险分析与管理

(一)脆弱性

在某一特定地区的社团或企业对洪水的暴露程度由两个因素组成。一个是该地区洪水灾害的概率,一个是该地区的洪水脆弱性[8]。洪水风险的降低可以通过控制风险和脆弱性来实现,广义而言,洪水风险可以通过工程措施降低洪水的频率来实现。通过土地利用调整、洪水预警和有效的应急响应,可以降低社团或企业对洪水的脆弱性。可持续发展的最终目标需要从全局的观点考虑洪水风险管理。因此,所有防洪减灾的方法都应当考察,以便寻求技术上可行、经济和环境上又符合可持续发展的方法。同时还需要从整个流域的角度,考虑环境影响的综合洪水风险管理。

(二)洪水风险

没有任何一项防洪措施是万无一失的。设计不足、建筑技术和材料不当、地基条件不良、运行操作失误、山体崩滑等等都可能引起工程失事。工程越老,风险越大。因此,洪水风险不仅仅是水文、气象条件。

洪水风险具有利害双重性、不可消除性以及可管理性[9]。洪水风险管理的最佳方法依赖于洪水风险的来源,但通常有几个因素。基本的需求是与土地利用一起绘制风险图,来表明风险的范围和严重程度。

(三)风险评估

风险评估是处理洪水影响并将这种影响通知管理人员和公众的基础。防洪规划的方法不能只考虑特定的水文事件,而且还应考虑与之有关的更为广泛的一系列因素,这些因素包括:

(1)考虑多因素作用下洪水的影响;

(2)堤防老化造成失事可能性的增加;

(3)防洪方法的多样性。

风险管理包括风险评价和降低风险两部分。风险评价需要对洪水的威胁和脆弱性进行评估。风险的降低是通过改变洪水的威胁或者脆弱性,以及洪前风险减少与洪水期间和灾后的应急响应来达到的。风险降低的最基本部分是洪前准备和防洪。从内容上看,洪水风险管理与洪水管理是基本一致的。

(四)风险感知

工程防洪措施的设计和执行是靠专业人员进行的。但是,由于没有绝对安全的防洪措施,所以有必要告诉公众风险程度、某一场暴雨暴发洪水的可能性以及应当采取的降低个人财产损失的措施等。传统做法常常用重现期的概念来描述洪水的大小,但是这一概念往往不能向公众说明其风险的大小,例如[8,10]:

(1)不知道某一年或某几年里发生洪水的可能性;

(2)往往忽视了天然洪水的随机性;

(3)给民众造成安全的错觉。

从理想的角度讲,洪水的大小应通过每年出现的概率来确定,像许多天气预报降水概率那样。而且,洪水预报(不管是流量还是水位)应当用可能出现的概率或某一范围来表示,而不是用某一数值。这样可能更有利于公众的判断,但是也可能带来一些负面影响。例如,预报的某一洪水概率较高,但却没有出现时,将引起某些混乱。

三、洪水与社会

自古以来,洪水问题就不仅仅是一个科学问题,而更重要的是一个社会问题。洪水作为一个自然过程,水小时顺河而下,水大时往往会淹没洪泛区。然而,自从人类利用洪泛区作为居住地、进行工农业生产等活动以来,洪水便成了问题,人类的防洪、抗洪活动也从此拉开序幕。多少年来,人类利用堤防、水库等措施极大地控制了洪水的发生,与此同时,大量的洪泛区被开发利用。但是,一旦发生难以控制的洪水,对洪泛区影响将是巨大的,主要有:①个人和商业的经济损失;②对经济和基础设施的破坏作用;③灾后的个人不幸可能持续数月或数年。

因此,洪水"问题"的出现就是防洪工程措施成功的标志。

(一)洪水预警

欧美的经验表明,洪水预警的主要影响因素有:

(1)预警的意识:预警是在洪水来临之前吗?

(2)响应的有效性:预警后民众是否采取行动?

(3)响应的能力:民众有能力进行减灾吗?

(4)响应的有效性:公众是否知道该做什么? 怎样做更为有效?

这样,引入洪水预报系统时必须考虑以下问题:①地方的预警通知方案;②风险地区的判定;③确立公众的洪水风险意识,预警的分类以及不同预警状态下所应采取的行动;④签发和播送预警方案、特定地区的预警。

(二)灾后重建与恢复

灾后的首要任务是为灾区群众进行减灾活动。大洪水通常会中断运输、通讯以及破坏一些基础设施服务,例如供水、排水、医疗等。社团和公众需要自救几个小时甚至数天,直到有外援为止。灾后重建和恢复工作包括以下内容:

(1)动用抢险队伍和军队进行抢险;

(2)寻找幸存者,善后遇难者;

(3)搭建临时住处,提供卫生的水源和食物;

(4)修复受损的建筑物;

(5)恢复基本服务和通讯设施;

(6)防止疾病;

(7)维持治安。

第三节　洪水灾害展望

洪水灾害是自然灾害的一种,本节将论述洪水灾害的现状、成因与未来趋势。

一、洪水与自然灾害

对包括洪水灾害在内的自然灾害的分析表明,洪水具有以下特征[1](见图 2-1):

(1)洪水灾害出现几率约占所有自然灾害的 1/3;

(2)造成死亡的人数超过所有自然灾害死亡人数的一半;

(3)洪水造成的经济损失约占所有自然灾害造成损失的 1/3;

(4)洪水灾害在保险损失中所占比例较小,只有不足 1/10。

信息技术的革命已经给自然灾害的统计和分析工作带来了巨大的好处。2001 年世界银行成立了灾害数据库工作小组,旨在建立一个全球灾害历史数据库,与现在已有的慕尼黑再保险公司的 NatCatSEUVICE、瑞士再保险公司的 Sigma,以及设在布鲁塞尔的灾害流行病学研究中心的 EMDAT 数据库相类似[11]。

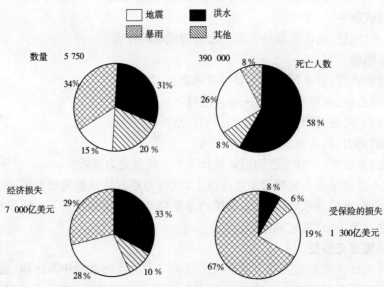

图 2-1 1988～1997 年世界自然灾害的分类统计

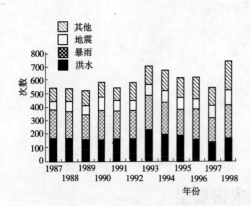

图 2-2 1987～1998 年世界自然
灾害次数历年变化[1]

NatCatSEUVICE 记载的资料表明,每年有 500～700 次自然灾害发生。图 2-2 为 1987～1998 年全球有记载的自然灾害次数,可以看出,灾害的次数并无明显的增加趋势,其中洪水灾害的次数虽然年年差异较大,但也没有明显的增加趋势。虽然灾害的次数变化不大,但是灾害的损失却是年年增加。

由于承灾体密度和价值的提高,灾害损失在持续增长。自 20 世纪 70 年代以来,总趋势直线上升,特别是 90 年代以来,长势迅猛。我国的自然灾害损失也呈增长的态势。其原因除了承灾体价值增长的因素外,自然灾变也呈显著增长的趋势。1990 年以前,登陆台风一般每年 5～10 次,1990 年以后增至 7～13 次。赤潮灾害在 20 世纪 80 年代以前十分鲜见,而 1990 年却发生 38 起。20 世纪 50～60 年代滑坡、泥石流灾害仅是孤立发生,70 年代开始连片成带,80 年代大量发生。以四川为例,20 世纪 30 年代仅有 14 个县发生泥石流,50～60 年代扩展到 76 个县,70 年代扩展到 109 个县,1981 年有 135 个县发生泥石流。

二、成因

国内外的众多研究表明,造成自然灾害损失增加的主要原因是:

(1)人口膨胀,尤其是在洪水容易泛滥的地方;

(2)灾害承受体价值的增加;

（3）建筑物、物品以及基础设施对洪水脆弱性的增加；

（4）洪水易泛滥地方的建设；

（5）防洪系统的失效；

（6）环境条件的变化；

（7）气候变暖。

三、前景

值得注意的是，在影响洪水灾害的众多因素中，很少有削弱灾害的，而大部分都是加重了洪水灾害。

（一）人口膨胀

人口在增加，洪泛区或平原地区的人口可能增加更快。世界上一半以上的人口居住在距海岸线 60 km 之内的平原上，65％的城市为沿海城市，向沿海城市的移民还在继续增加，主要有以下三个原因：

（1）在某些国家人口增长的压力使他们不得不在洪泛区定居，如孟加拉国；

（2）在另外一些国家，由于环境或气候等原因，向沿海地区移民也在增加，例如美国预测到 2010 年，将有 30％的人口居住在距海岸 10 英里内；

（3）城市化的进程依然不减，特别是在发展中国家。城市化一方面加剧了洪水的发生，另一方面也增加了城市抗御洪水的脆弱性[8]。

（二）保险

洪水保险已经在不少国家展开，有的发展较快，有的发展缓慢。作为一种改变损失分担形式，洪水保险措施有很多优点。虽然洪水保险并不能直接降低洪灾造成的损失，但保险机制却可以把损失分散，由大批的人来承担。对于不同的洪泛区，应收取不同的保险费率。

美国于 1968 年发布国家洪水保险计划，从此在有可能发生洪水的地区，居民有了可以支付得起的保险。到 1999 年，已经有 18 000 个社区加入了这个计划，参与的地方政府需要开发者满足防灾设计的最低标准，即防御百年一遇以下洪水造成的灾害，这个计划也需要财产的拥有者购买保险，以便得到一个联邦政府的保户抵押。洪水保险是将洪水损失分担给参与风险的人们，也就是洪泛区的利用者和居民，社区可以参与到由联邦应急管理局成立的社区分级系统中，容许他们提出降低洪水损失的创新战略，以降低洪泛区居民的保险费用作为回报[10]。

（三）气候变化

按照预测，由于温度的上升，在未来几个世纪里，作为大气循环的结果，除了海平面会上升外，湿度、蒸发量等也将会加大。一般而言，最大降水量也会加大，这一点已经被一些地区的事实所证实。这一变化也表现在季节里，如在中欧，夏季变得干燥，冬季变得多雪。在变暖气候中容易出现的暖冬也会对洪水风险产生较大的影响。频繁低压、多雨的大气系统会增大地表径流，暴雨几率的增加和海平面的升高都会加大洪泛区的洪水风险。

应当注意的是，夏季温度的升高也会加快大气循环过程，并将增加降雨以及洪水的频率，洪水将会更加频繁。

(四)泥沙淤积与河床演变

泥沙淤积对河流的影响是不可忽视的,特别是多泥沙河流。本书将在以后的有关章节中做详细论述。

第四节　黄河的洪水管理

一、防洪减灾

人类进入了 21 世纪,防洪减灾也面临着新的挑战,这些挑战包括技术、社会和政治三个部分的内容,共计十个方面,简述如下:

(1)要让所有团体和个人知道,彻底避免洪水灾害,无论从技术上还是从经济上都是不可能的;

(2)加强洪水预报技术;

(3)积极开展洪水预警,明确预警的程序和责任;

(4)防洪措施应当同时考虑工程和非工程措施;

(5)防洪减灾策略应当建立在良好的风险分析基础之上;

(6)重视洪水事件发生期间以及发生前、后的及时通讯和交流工作;

(7)为我们的子孙后代创造一个可持续发展的环境;

(8)在更为广泛的范围内进行环保防洪,即在防洪的同时充分考虑环境问题;

(9)为洪水管理建立适宜的政策和法规;

(10)要从整个流域的角度进行综合的流域防洪规划。

二、洪水管理

黄河流域的洪水分为两类:一类是冬季由结冰引起的冰凌洪水,一类是夏季由暴雨引发的暴雨洪水。

黄河的洪水主要来自于三个河段(见图 2-3),上游的兰州以上河段、中游的河口镇至三门峡河段、以及下游的三门峡到花园口河段。在兰州、河口镇、三门峡和花园口的年径流量大约分别为 300 亿 m^3、310 亿 m^3、500 亿 m^3 和 560 亿 m^3。据历史上记载,花园口于 1958 年发生过 22 300 m^3/s 的洪峰流量,陕县 1843 年发生过 36 000 m^3/s 的洪峰流量。

(一)主要问题

就黄河来讲,洪水管理包括以下几个问题:

(1)脆弱的生态环境。流域内的西北地区为戈壁沙漠的边缘。北部是沙漠和风沙区,西部相邻的是气候寒冷地带。中游地区是世界上最大的黄土高原,大部分地区属干燥和半干燥性气候。干旱、风沙和水土流失相当严重,生态环境十分脆弱。

(2)水少沙多。流入黄河下游的多年平均天然径流量为 500 多亿 m^3,只有长江的 1/15。而多年平均输沙量为 16 亿 t,是世界上含沙量最高的大河。

(3)地上悬河。黄河下游河段为地上悬河,河床一般高出两岸地面 4～6 m,最高达 10 m。形成原因是中游严重的水土流失以及大堤以内年复一年的淤积抬高。决堤对下

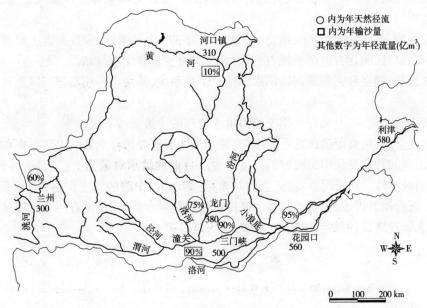

图例：
○ 内为年天然径流
□ 内为年输沙量
其他数字为年径流量(亿m³)

图 2-3 黄河水系

游两岸 20 多万 km² 的居民和工农业的潜在破坏力很大。历史上经常发生黄河改道。在过去 4 000 年中，黄河入海口最远相距达 800 km。最后一次改道发生在 19 世纪 50 年代。

(4)游荡河流。游荡河流主流摆动频繁，易出现"横河"、"斜河"，增加了防守难度。

(5)上段河道宽度大于下段宽度。黄河下游河南河段较为宽浅，相应的过水能力也较高；而山东河段较为窄深，相应的过水能力较小。例如，河南境内河段宽约 10 km，而山东河段宽约为 2～4 km。

(6)旱灾、洪灾。历史上，黄河流域，特别是下游河段频繁发生严重的旱灾和洪灾。这条河曾被称为"中国之忧患"。

(二)防洪措施

1.工程措施

黄河下游的防洪工程措施主要包括：

(1)从流域治理整体考虑，中游地区水土保持的关键，在于减少入黄泥沙。应加大水土保持的力度，减缓下游河床抬升速度。

(2)充分发挥现有水库工程拦蓄洪水的作用。

(3)继续加固下游堤防、险工，进一步搞好河道整治和有关滞洪区工程，加强滩区安全建设。

2.非工程措施

非工程措施主要有：

(1)洪水管理组织系统：有比较健全的洪水管理措施系统。在国家防汛总指挥部领导下，设立黄河防汛总指挥部，各省、市、县也设有防汛指挥部，黄委会所属各级河务部门是防汛指挥部的办公室。各级黄河防汛指挥部全面负责黄河防汛的预警调度及组织抢险等事宜。

（2）洪水管理通讯系统：微波、人造卫星、移动电话、短波无线电等几种通讯工具已被使用。

（3）水文观测：共有458个水文站,58个水位站,2 376个雨量站;多数是人工观测站,在三门峡至花园口区间建有遥测系统,在下游河道设有少量自动水位站。

（4）洪水预报：建立和完善黄河防汛水情信息采集系统,采用多种模型进行降雨预报、洪水预报。

（5）决策支持系统：开发和完善用于黄河洪水管理的决策支持系统。

（6）滞洪区管理：负责滞洪区的系统维护,并与当地政府协调群众从滞洪区撤离事宜。

黄河的治理和开发受到中央政府的高度重视。目前的洪水对策是上拦下排,并利用下游滞洪区消减洪峰。对于泥沙,黄委会的对策是:结合上、中游的水土保持,以及干、支流水库沉沙,进行调节排放、淤背和疏浚。从洪水控制到洪水管理,需要有一个过程,应当积极进行洪水管理建设,例如洪水预报、预警、防灾准备等。

参 考 文 献

1 Bruntland G etc. Our Common Future: Report of the World Commission on Envirnment and Development. Oxford University Press, 1987

2 http://www. provention consortium. org/files/disastersdb-020501/overview. pdf, 2001

3 http://www. chinawater. net. cn/98flood/98f-z. htm, 2002

4 梁志勇等. 风险、脆弱性及国内外城市规划实例. 灾害学, 2002(2)

5 Galloway G. E. Towards sustainable management of river basins: chanllenges for the 21st century. Proceedings of the 1st workshop on current policy and practice. EUR 18019EN, ISBN 92-828-2002-5, 1998

6 Handmer J. EUROflood-Abandoning flood defence. Proceedings of the 1st workshop on current policy and practice. EUR 18019 EN, ISBN 92-828-2002-5, 1997

7 IAHR. Water in Rivers: Flooding. Final Report of the Second World Water Forum, 2000

8 梁志勇等. 国外非工程防洪减灾措施战略研究(I). 自然灾害学报, 2002(1)

9 http://www. cws. net. cn/cwsnet/jzzhxin/2001 − Lwxj, 2002

10 Berz G. Flood disasters: lessons from the past-worries for the future. Water and Maritime Engineering. Vol 142, Issue 1, 2000

11 程晓陶译, 梁志勇校. 国外综合治水的经验与教训. 水利水电科技进展, 2002(6)

第三章 泥沙灾害评价

"凡是致灾因子是泥沙，或由泥沙诱发的其他载体给人类的生存、生存环境和物质文明建设带来危害，给经济带来损失，这样的泥沙事件就构成泥沙灾害"[1]。简言之，造成生命、财产损失的泥沙运动或沉积过程即为泥沙灾害。从泥沙的定义看，泥沙过程涉及范围较广，因此泥沙灾害的类型也较多，滑坡、泥石流、水库、湖泊、河道淤积、崩塌、冲刷破坏、土地沙化、水土流失、含沙洪水中泥沙的落淤与冲击对洪泛区财产造成的损失等都可归结为泥沙灾害。

第一节 泥沙灾害现象

一、滑坡、泥石流

山洪、泥石流、滑坡灾害是指通常发生在山区的山洪、泥石流、滑坡等灾害现象，其中泥石流的成灾率为最高。我国的国土面积约有 2/3 为山地，再加上人类活动的影响，山洪、泥石流、滑坡灾害相当严重。其主要危害是造成人员伤亡和毁坏城乡建筑、交通道路、工厂矿山、水利工程、农田土地，造成的经济损失每年超过 100 亿人民币[2~4]。

据不完全统计，1949 年以来，山洪、泥石流、滑坡等灾害造成的人员死亡 1 万多人，其中山洪、泥石流灾害致死占 2/3 左右，滑坡、崩塌灾害等致死比例约占 1/3，全国平均每年死亡人数 300 余人。从时间和空间来看，成灾次数与死亡人数呈逐年增长趋势（图 3-1 和图 3-2），致死人数较高的为四川、云南、贵州、陕西、甘肃、青海和湖北七个省。近年来我国北方大部分地区降雨较少，而西南、西北、东南沿海等地由于暴雨集中，引发了大量山洪、泥石流和滑坡灾害。如在 2000 年，据不完全统计，山洪、泥石流、滑坡等灾害造成的死亡人数为 1 080 人，失踪 63 人，受伤 26 709 人，其中死亡人数较多的省份有陕西、贵州、四川、福建，死亡人数分别为 328 人、150 人、108 人、88 人。6 月 6 日四川古蔺县发生群发性滑坡、泥石流，共造成 85 人死亡；7 月中旬陕西安康地区发生滑坡、泥石流，死亡285 人。

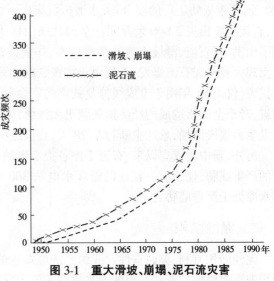

图 3-1　重大滑坡、崩塌、泥石流灾害
累计成灾频次年代变化

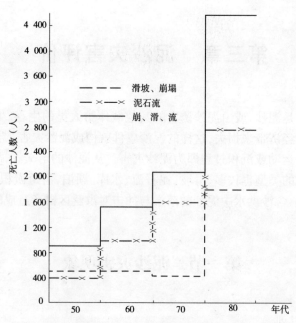

图 3-2 20 世纪重大滑坡、泥石流灾害死亡人数年代变化

山洪、泥石流、滑坡灾害的频繁发生,还摧毁了大量的城乡建筑设施、耕地、工厂矿山和交通干线。据初步统计,全国有 400 多个市、县(区)镇受到山洪、泥石流、滑坡的严重侵害,其中频受山洪、泥石流侵扰的市、镇 50 余个,频受滑坡、崩塌侵扰的市、镇 60 余个,有些市、镇甚至受到两类灾害的共同侵扰,给当地人民生命、财产造成极大的损失,严重阻碍了当地经济和社会发展。仅据有统计数字的灾害点的统计,到 1992 年全国有 9 万 hm² 的耕地被破坏,而实际上被破坏的耕地面积要远大于此。至 1990 年底,全国至少已有 100 余座大型工厂和 55 座大型矿山受到严重危害,如第二汽车制造厂厂区内有滑坡、崩塌 270 处,严重威胁工厂的安全;天水锻压机床厂滑坡,摧毁了 6 个车间,使工厂丧失生产能力,直接经济损失 2 000 余万元。全国几条山区干线铁路如宝成线、成昆线、宝兰线都受到了山洪、泥石流、滑坡灾害的严重危害,如宝成铁路在 20 世纪 50 年代末、80 年代初两次出现大规模泥石流爆发,不仅由于摧毁铁路和列车运输中断给铁路部门造成严重的经济损失(仅 1981 年用于宝成线修复铁路的资金就达 3 亿元以上),而且由于停运给川、陕两省,乃至全国所造成的经济损失就更无法统计;1992 年 5～6 月间宝成线桑树梁处又连续发生大规模滑塌,累计中断行车 28 天,直接经济损失达数千万元。

另外,新中国成立以来,有近千座各类水电站及数百座各型水库受到泥石流、滑坡灾害的严重威胁,仅云南一省就已毁坏水电站 360 余座,水库 50 余座,另有 26 座电站、15 座水库处于严重威胁之中。

二、泥沙淤积

泥沙淤积有利、弊两重性。我国经济最发达的江河中下游洪泛平原即是由泥沙长期淤积塑造而成的。泥沙淤积的灾害特性主要表现在降低流域防洪能力和恶化流域防洪格局方面。

黄河下游东坝头以下河段,河床因泥沙淤积平均每年抬高 3～4 cm,局部河段抬高 10 cm 左右。自 1855 年黄河水行现河道以来,东坝头至高村淤高 6～8 m,高村至艾山淤高 5～6 m,艾山以下淤高 4 m 左右。为维持防洪能力,堤防需有相应的加高(加高的费用可认为是泥沙灾害的损失),河床的抬高,使洪水位与被保护区的落差增加,一旦堤防失事,洪水的破坏力无疑会更大[5,6]。另外,因河床和堤防抬高,原来的跨河建筑物,如桥梁、铁路、渡槽等也要随之抬高和改造,受河床淤积影响,沿河的通航、引水、码头、提水泵站等设施亦需作出相应的改造,耗费大量资金。

历史上黄河北决和南决以及多次的分流改道所挟带的大量泥沙,对海河流域和淮河流域地形的再塑和水系的扰乱,是泥沙淤积恶化流域防洪局面的突出表现。至今海河流域和淮河流域仍是我国防洪治理难度最大的两条河流,与黄河北侵、南侵有密切的关系。[7~9]

据许多专家分析,1998 年长江流域洪水水位普遍偏高,河湖泥沙淤积是主要原因之一。据估计,城陵矶至武汉河段 1960 年以来的淤积使得同流量下的水位抬高 1.0 m 左右,降低了河道防洪能力,加重了防洪压力。

海河流域 1963 年大水后,为治理海河洪水,除疏浚了原有排洪入海通道外,还新开辟了子牙新河、滏阳新河、永定新河等入海通道,使海河水系泄洪入海能力由 20 世纪 50 年代初期的约 2 000 m³/s 提高到 24 680 m³/s。但由于淤积等原因,各通道泄洪能力大幅度降低,目前已萎缩到约 15 000 m³/s。据海河水利委员会估算,若欲恢复河道行洪能力,疏浚清淤工程量约为 1.56 亿 m³,需投资 30 多亿元,可见泥沙淤积降低防洪能力的损失之大。

含沙洪水在溃决和分洪时,淤没资产和土地,也是泥沙淤积灾害的表现形式。黄野鲁[10]在《平利老县城在洪沙中覆灭》一文中介绍了泥沙淤没资产的典型案例。

1982 年黄河发生一次较大洪水,花园口最大洪峰流量 15 300 m³/s,为保证艾山以下河道防洪安全,东平湖水库开闸分洪,分洪后,大量粗颗粒泥沙淤积在闸后,形成约 425 hm² 的沙化区,使土地丧失了生产能力。

水库泥沙淤积使得水库寿命缩短,水库防洪兴利功能削弱甚至丧失,因此造成巨大的损失,这种现象在黄河、永定河等多沙河流水库表现得尤其突出。表 3-1、表 3-2 为黄河干、支流已建大型水库淤积情况。

表 3-1　　　　　　　　　黄河干流水库库容、淤积量统计[11]

水库名称	建成年份	初始库容 (亿 m³)	淤积量 (亿 m³)	淤积量/总库容 (%)	水库运用情况
龙羊峡	1986	247.0	0.3	0.12	蓄水运用
刘家峡	1968	57.4	14.1	24.6	蓄水运用异重流排沙
盐锅峡	1961	2.16	1.70	78.7	发电、排沙
八盘峡	1975	0.52	0.25	48.1	发电、排沙
青铜峡	1967	6.06	5.83	96.2	灌溉、发电、排沙
三盛公	1961	0.98	0.46	46.9	灌溉、排沙
天桥	1976	0.67	0.38	56.7	发电、排沙
三门峡	1960	96.4	56.9	59.0	蓄清排浑、防凌春灌

表 3-2 　　　　　　　　　　黄河支流水库库容、淤积量统计[11]

河流名称	水库名称	建成年份	初始库容 (亿 m³)	淤积量 (亿 m³)	淤积量/总库容 (%)	水库运用情况
蒲河	巴家嘴	1962	5.25	2.49	47.4	蓄水排沙、滞洪排沙
清水河	长山头	1960	5.05	2.79	91.5	蓄水运用
清水河	石峡口	1959	1.70	1.27	74.7	蓄水运用
浑河	当阳桥	1975	2.07	1.43	69.1	蓄水排沙
无定河	新桥	1961	2.00	1.56	78.0	蓄水运用
延河	王瑶	1972	2.03	0.77	37.9	蓄清排浑
渭河	冯家山	1974	3.89	0.63	16.2	蓄水排沙
渭河	羊毛湾	1970	1.07	0.17	15.9	蓄水运用
汾河	文峪河	1970	1.05	0.20	19.0	蓄水运用
汾河	汾河	1961	7.23	3.31	45.8	蓄水排沙
宏农河	窄口	1960	1.85	0.08	4.3	蓄水运用
洛河	陆浑	1965	13.20	0.62	4.7	蓄水运用
洛河	故县	1993	11.75	0	0	蓄水运用
大汶河	雪野	1966	2.11	0.09	4.3	蓄水运用

水库淤积损失可大致按清除死库容以上常年淤积部分所需的投入计。

水库淤积除影响水库本身的效益外,有时还使库尾水位抬高,造成上游的额外淹没损失,在极端情况下,这种"翘尾巴"的现象可能迫使水库运行方式的改变(如三门峡水库的情况)。

三、泥沙冲刷与崩岸

泥沙冲刷主要表现在毁坏水利工程和其他设施方面。

堤脚的淘刷是造成汛期堤防险情和失事的原因之一,护岸、治导、引水渠首工程的破坏通常与泥沙冲刷有关,泥沙冲刷造成的水利工程破坏损失可用工程修复费用衡量。

近 20 年,我国管道运输高速发展,穿河、跨河、顺河管道众多,因泥沙冲刷所造成的管道设施破坏相当严重。黄金池等 1998 年就此开展了专门研究[12]。与管道类似,其他位于河道冲刷、演变剧烈处的穿河、跨河、顺河建筑物或设施也面临着冲刷破坏的威胁。

从泥沙运动形态看,水土流失也属于泥沙冲刷的范畴。据估计,我国每年因水土流失所造成的经济损失在 100 亿元量级。

崩岸主要是水流对堤岸冲刷、侵蚀引起堤岸演变过程中的一种突变现象。根据所在的位置不同可分为海岸崩塌、湖岸崩塌、库岸崩塌、河岸崩塌等。由于河岸崩塌与河床演变关系最密切,本文主要讨论河床演变与河岸崩塌之间的关系。

在洪水季节,崩岸可以直接导致决堤而造成洪水灾害。在日本历史上的决堤事故中[13,14],由侵蚀和冲刷所引起的事例占全体决堤事故的 10% 左右,如 1998 年阿武隈川的洪水灾害中,其支流的荒川就因侵蚀而发生了决堤。据我国山东省的记载,黄河的决堤中由侵蚀和冲刷所引起的事例同样占全体决堤事故的 10% 左右。在 1998 年洪水中,长江中、下游江堤 3 600 km 中外滩崩岸长度就有 1 500 km,沿江崩岸险情就发生 327 起,占各种险情的 3.4%[15~18]。

在枯水季节,常常发生特大崩岸事例,如 1996 年 1 月 3 日马湖堤发生缺口长约 150 m、宽 80 m 的窝崩,随后 1 月 8 日 18 时 10 分再次发生了崩岸,范围扩大到长 960 m、宽 200 m,并与 1973 年和 1988 年的崩岸连成一片。这次崩岸毁坏防洪大堤 1 210 m、电排灌站一座、耕地 18 hm²、民房 92 间、伤亡 24 人,直接经济损失 5 000 多万元。同样,在水位上升期和水位下降期也常出现崩塌,如湖北省咸宁大堤北门口,在 1994 年 6 月 11 日,近百千米堤段后退 400 m,最大崩塌速率为 55 m/h;1998 年 10 月 14 日又再次发生 3 小时内崩塌 100 m 的险情。

崩岸危害的严重性在于险情一旦发生,总是抛石抢险,水下抛石量高达每米 100~200 m³,耗资可观且见效仅仅是暂时的。而且,崩岸的严重性也是危害河道的泥沙主要来源之一。如黄河泥沙主要来源于西北黄土高原,据统计分析,黄河泥沙出现高峰年的主要原因,就是晋、陕峡谷两侧的黄土崩岸滑塌所产生,而且由于黄土的直立性,多是在水力淘刷悬空后崩岸造成。据 1996~1998 年遥感调查,从武汉至南京划子口约 1 479 km 的江岸,两岸崩塌段占 22%,30 年来崩岸总面积 89.1 km²,如平均江岸高差 3 m,那么崩入长江的泥沙就有 2.67 亿 m³,如全部淤在长江里,折合淤积量 7.08 亿 t。这与近 30 年内武汉至南京间长江总淤积量 7.706 亿 t 非常接近。

崩岸是由于水流顶冲淘刷或主流贴岸冲刷引起,堤外无滩将直接导致堤防溃决,严重威胁堤防的安全。如湖北省黄冈地区巴铺大堤的外滩自 1959 年到 1989 年一共后退 1 324 m。目前,外滩仅 100 m,严重威胁着大堤的安全。又如长江荆江门段每年以 30~50 m 的速度后退,而此河段距洞庭湖仅 1.2 km,如不及时防护,长江有切入洞庭湖的危险[12,16]。崩岸趋势一旦形成,如不及时防护,后果严重。

四、"滚河"与"横河"

"滚河"与"横河"是黄河汛期所特有的水流现象。小浪底水库建成后,就黄河下游堤防高度而言,已可防御 1 000 年一遇洪水,但由于洪水漫滩以后,据以往的经验,流量在 10 000 m³/s 左右时,河床发生剧烈冲淤变化,主流摇摆不定,易出现所谓"滚河"、"横河"的洪水水流现象,主溜直接淘刷或冲击堤防,极端情况下可导致堤防溃决或冲决,在现有黄河防洪工程体系下,因"滚河"或"横河"造成堤防失事的可能性也许比出现超标准洪水的可能性(千年一遇)还要大。这种与泥沙冲淤变化密切相关的洪水灾害风险,在很大程度上也可归入泥沙灾害的范畴。

五、其他泥沙灾害现象

引水渠系淤积以及清除、堆放这些淤积所需的投入和占地,泥沙对水工建筑物和水电站水轮机的磨损破坏,风沙、沙漠推移扩大等等与泥沙运动和沉积相关的造成经济损失的现象也可认为是由泥沙引起的危害。

泥沙灾害有诸多表现形态,滑坡、泥石流、河道水库淤积、水土流失、堤防及近河建筑物冲刷损坏、"横河"、"滚河"等是主要的泥沙灾害现象。分析泥沙灾害现象,揭示其可能造成的问题,可为泥沙灾害的防治提供基础依据。

第二节 泥沙灾害评价

一、泥沙问题和泥沙灾害

从广义上讲,泥沙问题包括各种泥沙运动和沉积过程中给人类生命、财产造成直接或间接影响的现象,如泥石流、滑坡、水库、湖泊、河道淤积、工程设施的冲刷破坏、风沙、沙漠化等。泥石流、滑坡、水土流失、沙漠化甚至风沙等经分析研究已被列入自然灾害之列。除此之外的泥沙问题,也就是水利部门所关心的河流泥沙问题是否也属一种灾害呢?

灾害是指造成人类生命、财产严重损失的事件。按成因分,有些灾害单纯是因自然因素引发的,例如地震、海啸、火山爆发、台风等;有些灾害有时单纯因自然因素造成,有时因人类活动使其加剧,例如洪水、滑坡、泥石流、风沙等,有些灾害则主要因人类活动引起,例如溃坝、污染、毒物泄漏等。从灾害发生的缓急和有无先兆分,有突发性(以地震为代表)、演进性(以河道洪水为代表)和缓慢性(以干旱为代表)等类型,随着人类对灾害机理认识的深入和监测技术的进步,有些原来认为是突发性的灾害可能成为演进性灾害,例如台风和海啸。

给人类生命、财产造成影响的事件是否属于灾害,取决于其影响程度,但这一程度并没有明确的界定。是每年造成 100 人以上死亡或造成 1 亿元以上经济损失的事件便被称之为灾害呢,还是其他,目前并没有绝对的量化指标。从现在被称之为灾害的事件看,可以得出如下定义:凡被社会普遍关注并导致国家采取政策或措施加以减轻或控制的,造成生命、财产损失的事件即为灾害。从这一定义出发,可以认为河流泥沙问题已构成了灾害性的影响,是一种灾害,通常这是一种缓发性的灾害。

以黄河为例,据历史记载,其泥沙问题从汉代便为政府所重视。当然黄河的泥沙问题通常是与洪水问题交织在一起的。近来,政府的一些文件称黄河和长江的洪水问题为国家的心腹之患,实际上黄河之患在很大程度上是因为泥沙。

河流泥沙问题所造成的损失与其他一些灾害比也不相上下。

河流泥沙灾害与泥石流、水土流失、滑坡等灾害类似,通常是与水的运动相关联的,因此在研究泥沙灾害时必须将水同时考虑。

二、河流泥沙灾害损失的评估

河流泥沙灾害现象主要包括:①河道淤积;②水库淤积;③土地沙化;④淤没湖泊、城市或建筑物;⑤工程设施冲刷破坏等。

以往的泥沙研究,主要侧重于考虑泥沙的运动规律,对泥沙问题所造成的损失涉及很少,泥沙损失的评估尚属空白。

(一)河(渠)道泥沙淤积损失的评估

黄河:自 1855 年黄河在铜瓦厢决口改道至 1994 年行河的 130 年(扣除 1938～1947 年花园口决口后黄河改道的 9 年),下游东坝头以下由于泥沙大量淤积,河床逐年抬高,目前河床滩面一般高出堤外地面3~5 m,个别地段达10 m,成为地上悬河。为利用大堤之内滩地生产,1958年起又逐步修建生产堤,一般洪水只在生产堤之间运行,生产堤与大堤之间滩地进水行洪机会减少,淤积又比生产堤之间滩地少,局部河段又形成河床高于生产堤以外滩地的"二级悬河"(见图3-3)。

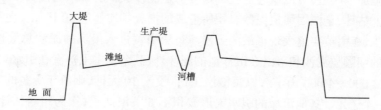

图3-3　黄河"二级悬河"示意

黄河下游临黄大堤长1 370.7 km,其中左岸堤长747 km,右岸堤长623.7 km。由于泥沙淤积,黄河基本上每10年进行一次大规模堤防加高工程。目前正在进行第四次大修堤,每次修堤工程量都比上次有大幅度增加。四次修堤的总投入按现在价格计算约300亿元,年均约6亿元。此外因额外加高堤防增加的占地面积估计超过3 330 hm²,设年土地利用价值平均为1.5万元/hm²,则因额外占用土地造成的年损失约为0.5亿元。

海河:1963年海河大水后,针对此次大水的情况,海河流域除建设其他防洪工程外,还重点开展了扩大和开辟分洪道,增加排水入海能力的防洪建设,使流域排洪能力由4 600 m³/s增加到25 000 m³/s。近20年来,由于淤积等原因,河道排洪能力逐渐萎缩,目前约为15 000 m³/s[19]。据海河水利委员会测算,若要恢复河道至设计排洪入海能力,疏浚所需投资30多亿元,年均因泥沙淤积所造成的损失约2亿元。

长江:1998年长江大水出现的异常高水位与河湖淤积有密切的关系。例如许多研究者认为,近20多年来,城陵矶以下至武汉河段河床因淤积抬高了1.5 m左右,致使同流量下洪水位抬高约1.0 m[20]。1998年大水之后,国家投入大量资金对长江堤防进行再一次加高加固,其中一部分便是为抵消泥沙淤积而造成的堤防标准降低。因泥沙淤积而使投资额外增加的具体数字目前尚不清楚,估计年均也在亿元的水平。

淮河:淮河河道的泥沙问题主要是黄河1855年铜瓦厢决口改行现河道之前数百年夺淮遗留下来的。在南宋之前,淮河是一个水系畅通、独流入海的河流,流域洪涝灾害较少。自1194年至1855年,黄河夺淮达661年,使淮河流域的防洪格局发生了根本性的改变:淮河入海通道被淤废,改道入江,干、支流河道淤塞严重,流路不畅,淮河流域成为我国洪涝灾害最为严重的流域,其中尤以里下河地区,沂、沭、泗河下游和淮河干流中游为甚[21]。

1855年黄河改行现河道之后,在淮河流域所开展的河道治理工程,例如开辟人工泄洪排涝河道,扩大河道行洪断面,修筑堤防,疏通入江水道等,基本上是为了解决因黄河泥沙淤积给淮河带来的洪涝问题,这些投入也就是泥沙淤积所造成的损失。

虽然1855年后,尤其是1950年以后的大规模淮河治理工程,有效地减轻了淮河流域的洪涝灾害,但黄河泥沙对淮河流域淤积所造成的恶化防洪排涝局面的后果并未完全消除,淮河流域未来的洪涝灾害损失仍将有相当比例归结于黄河泥沙淤积。

考虑到淮河因泥沙问题带来的额外治理工程投入和洪涝灾害的加剧,泥沙对淮河河道淤积所造成的年损失值约在20亿元的量级。

其他流域：由于人类活动加剧，近几十年来各大流域的水土流失状况日趋恶化，与之相应，河道的淤积普遍呈加重态势，为抵消河道淤积造成的防洪标准降低，各河流不得不加高堤防、疏浚河道，而使投资额外增加，同时还需占用更多的土地，并对原有部分跨河、沿河工程设施加以改造，可以认为这些都是因河道泥沙淤积所带来的损失[22~25]。

从量级上估计，全国因河道泥沙淤积所造成的损失年均超过30亿元。泥沙还造成引水渠道的淤积，在引黄渠道表现得最为突出。每年引黄进入渠道的泥沙总量达1.2亿t，除进入田间的细颗粒泥沙和落淤在沉沙池的泥沙外，其余基本上落淤在引水渠内，每年渠道清淤量约3 000～4 000万m^3，以每清淤1 m^3投入10元计，则每年引黄的渠道泥沙淤积损失约3～4亿元。其他流域的引水渠道淤积不如黄河严重，作为粗略估计，全国的渠道年淤积损失值应在5亿元以上。

(二)水库淤积损失

因水库淤积所带来的损失的估计相对比较困难。水库淤积一方面降低水库利用效果，另一方面却减轻了下游河道的淤积。作为粗略的估计，可按水库没有淤积可能产生的年均效益与因水库淤积实际产生的年均效益之差估算水库泥沙淤积的年均损失。

(三)土地沙化

历史上黄河每次决口，由于粗沙沉积，都要造成大面积土地沙化。据估计，严重沙化面积约2万hm^2，恢复耕种至少需5年时间。目前小浪底水库已建成，黄河下游可达到1 000年一遇防洪标准，因此可不考虑因决口造成的土地沙化损失。

黄河泥沙造成土地沙化目前主要表现在引黄上。以山东省为例，自1965年复灌至1990年，沉沙池占用土地4万余hm^2，皆为较粗颗粒泥沙，淤废后将长期不适合耕种；干渠以上泥沙清淤总量已达5亿多m^3，平均堆高4 m，占地1万多hm^2，并约以每年400 hm^2的速度增加，其他引黄大多如此。按每公顷土地年效益1.5万元计算，则1990年时，山东省因泥沙淤废土地所造成的年损失约7亿元。加上其他省份引黄的沙压土地损失，估计每年黄河流域因土地沙化所造成的经济损失在10亿元以上。

土地沙化还为风沙提供了沙源，给沙化区周边的环境和群众生产生活带来严重影响。

(四)淤没湖泊、城市和建筑物

东汉永平十三年(公元70年)王景治水完成后至唐代末期(公元10世纪)，黄河水灾记录明显减少。有的学者认为这是王景治水得法而千年无患，有的学者认为还与这一时期黄河下游的河湖形势有关。《水经注》中详细记载了黄河下游有多条分支河道，这些分支河道又多在汛期大水时与湖泊沼泽连通，洪水有回旋滞蓄的场所，王景当时可能采取了一些措施，将其加以利用(如"凿山阜、截沟涧、防遏冲要、疏决壅滞、十里立一水门")，发挥了减轻黄河水灾的作用。这些在汛期与黄河沟通的分支河道和湖泊，在宋代以后都逐渐淤没了，这与此后黄河水灾频繁不无关系。

同样的问题在长江流域也有突出表现。例如，湖北省历史上有大量的通江湖泊，被称为"千湖之省"。据1985年统计，面积在0.5 km^2以上的湖泊只剩下192个，除人为围湖造田外，泥沙淤积也是使湖泊大量消失的主要原因之一，通江湖泊的萎缩与消失，减少了洪水滞蓄和回旋的空间，使得同样降雨条件下的河道洪水位上升，降低了流域防洪能力，增加了河道防洪压力。据一些研究者分析,洞庭湖面积每减少 1 000 km²,城陵矶、汉口和湖口水位将分别上升 0.4 m、0.34 m 和 0.26 m。葛守西等分析认为,以 1998 年来水过程为例,由于江湖槽蓄能力的降低,1998 年螺山站的最高水位比 1954 年时高出 0.3～0.4 m。

近几十年来,我国各江河流域修建了大量的防洪工程,但遇同样洪水,受灾面积不但未减少,反而有增加的趋势。进一步分析,因溃口、决堤的受淹面积确实已大幅度减少,但内涝面积增加了,蓄滞雨洪的湖泊水面面积的剧减是主要原因,湖泊的淤没是蓄水面积减少的重要因素。建立水面面积减少与内涝面积增加的关系,并统计出因泥沙淤积造成的蓄水水面面积减少量,可大致估算出因泥沙淤没湖泊造成的损失。

据历史记载,开封市曾经历了三次因黄河决口造成的淤没,中牟、商丘、徐州等城市也有淤没的记载。近期也曾发生过泥沙淤没城市的案例[10]。

为减轻黄河河道淤积,黄河上规划了两片滩区用于放淤,其中小北干流滩区放淤面积 566 km²,平均淤厚 24 m,可淤沙量 193.2 亿 t,预计减少下游河道淤积量 101.2 亿 t;温孟滩区放淤面积 338 km²,从小浪底引水,平均淤厚 34 m,可淤沙量 161 亿 t,预计减少下游河道淤积量 111 亿 t。以上两片滩区放淤估计可使黄河下游河道 50 年不淤,但将淤没 40 余万人口的资产,损失巨大。

任何一次洪水泛滥后,都将会有大量泥沙落淤到城市、建筑物中,除多沙河流外,淤没的情况不多,但洪水过后清淤则是所有城市和建筑物面临的共同问题,清淤费用在灾后重建费用中通常占相当大的比重。由于有关资料未掌握,目前还不能估计出具体的损失值。

(五)工程设施冲刷破坏

简言之,泥沙淤积是泥沙由运动状态到静止状态,泥沙冲刷则是泥沙由静止状态进入运动状态。泥沙的冲淤转换随时都在发生着,淤积是针对某一区域或某一河段在某一时段内沉积的泥沙量大于冲走的泥沙量而言的,冲刷则相反。淤积在某种情况下会带来灾害性影响(如前所述),冲刷也是如此。堤防建设中所做的大量护岸工程即是为了防御冲刷,河道整治工程的主要目的之一也是控制冲刷、稳定河势。所谓的险工、险段多是河道冲刷较为剧烈之处[26,27]。

为控制黄河凹岸冲刷发展,经 50 年整治,目前在黄河上已建立起了以护岸、垛、丁坝为主体的控导工程体系,工程长度 623 km,裹护长度 524 km。使得黄河下游河势基本得以稳定。

在黄河现有防洪工程体系下,堤防漫决的可能性已很小(1 000 年一遇),许多专家认为,在较大洪水时,有可能出现"横河"、"滚河"直接冲击淘刷大堤,而使堤防发生冲决和溃决的风险更大(达不到 1 000 年一遇)[9,28]。

长江中、下游两岸可能崩岸线总长约 1 500 km,到 1998 年,共完成护岸长度 1 100 km,完成护石方量 6 700 万 m³,沉排 327.1 万组,塑护 40 万 m²,丁坝 685 座,顺坝 19.4 km。

其他流域也都投入了大量资金整治河道,控制河势,防止危害性泥沙冲刷。

将河道控导工程的费用或冲决归于因泥沙冲刷的损失似乎不尽合理,但其与泥沙冲刷有密切的关系则毫无疑问。

三、小结

河流泥沙灾害有河道淤积,水库淤积,土地沙化,淤没湖泊、城市或建筑物,冲刷破坏工程设施等表现形式。中国是泥沙灾害最严重的国家,每年河流泥沙造成的损失在100亿元量级,其中因河道泥沙淤积造成的损失约30亿元,土地沙化损失在10亿元左右,因河流泥沙造成的其他灾害也很严重。

从河流泥沙所造成的损失量级以及国家和地方政府对泥沙问题的关注程度上衡量,泥沙问题已构成了灾害性影响,是一种灾害。有些泥沙灾害的表现形式,例如河道、水库、湖泊淤积相对清晰,估算其损失比较容易,而有些泥沙灾害现象通常与水的运动有关,例如洪水后土地沙压、沙化、洪水泛滥区设施和建筑物的淤沙淤泥、工程设施冲刷破坏等损失的估算则相对困难。

近几十年来,对泥沙运动规律和泥沙问题防治方法的研究已有相当的积累,但对灾害问题的认识和研究尚处于起步阶段,有必要给予更多的关注和更深入的研究,以期为泥沙治理提供更为全面的决策依据。

与洪水一样,只要有河流存在,泥沙问题便永无根治之日,通过泥沙运动规律、泥沙灾害现象和泥沙损失的研究,为泥沙(包括洪水)治理决策提供必要的信息,可使相应的治理方法更为合理有效。

参 考 文 献

1 景可,李凤新.泥沙灾害类型及成因机制分析.泥沙研究,1999(1)

2 梁志勇等.1999年6月16日大咕噜沟泥石流.长江流域资源与环境,2001(1)

3 梁志勇等.支流泥石流入汇对主河河型的影响.水土保持学报,2001(5)

4 刘树坤等.全民防洪减灾手册.沈阳:辽宁人民出版社,1993

5 胡一三主编.黄河防洪.郑州:黄河水利出版社,1996

6 谢鉴衡.黄河下游悬河现状与治理刍议.泥沙研究,1999(1)

7 黄河水利委员会.李仪祉水利论著选集.北京:水利电力出版社,1988

8 水利部计划司,黄河水利委员会.黄河流域规划概要.北京:中国水利水电出版社,1998

9 尹学良.黄河下游冲淤特性及其改造问题.泥沙研究,1980,(复刊号)

10 黄野鲁.平利老县城在洪沙中覆灭.泥沙研究,1984(2)

11 赵文林.黄河泥沙.郑州:黄河水利出版社,1996

12 黄金池等.水流冲刷与管道埋设.北京:中国建材工业出版社,1998

13 建设省河川局砂防部砂防课.土砂灾害对策の历史.河川,1998(6)

14 建设省河川局计划课.治水长期计划の历史.河川,1998(6)

15 陈祖煜,孙玉生.长江堤防江西段崩岸治理方略和工程措施探讨.中国水利水电科学研究院学报,2002,3(2)

16 程伟根.1998年长江洪水的成因与减灾对策.见:长江流域洪涝灾害与科技对策.北京:科学出版社,1999

17 韩其为.长江中游1998年洪水位超过历史最高值原因分析.中国水利水电科学研究院学报,1998,2(2)

18 徐永年,梁志勇等.长江九江河段河床演变与崩岸问题研究.泥沙研究,2001(4)

19 水利部计划司,海河水利委员会.海河流域规划概要.北京:中国水利水电出版社,1998

20 水利部计划司,长江水利委员会.长江流域规划概要.北京:中国水利水电出版社,1998

21 水利部计划司,淮河水利委员会.淮河流域规划概要.北京:中国水利水电出版社,1998

22 水利部计划司,松辽水利委员会.松花江、辽河流域规划概要.北京:中国水利水电出版社,1998

23 水利部计划司,太湖水利委员会.太湖流域规划概要.北京:中国水利水电出版社,1998

24 水利部计划司,珠江水利委员会.珠江流域规划概要.北京:中国水利水电出版社,1998

25 张胜利.无定河流域综合治理减沙效益.泥沙研究,1984(3)

26 钱宁等.泥沙运动力学.北京:科学出版社,1982

27 向立云.时间变态对动床模型实验影响的初步研究.见:水科学青年学术论文集.北京:水利电力出版社,1990

28 李义天.冲积河道平面变形计算初步研究.武汉水利水电学院学报,1986(4)

第四章　水库冲淤特性与专家经验

　　泥沙灾害防治支持系统一般由泥沙灾害防治决策的方法、数据库和人机界面构成。泥沙灾害防治决策的方法包括数学模型、统计模型及优化技术、专家经验等,专家经验主要包括泥沙灾害统计分析、水库河道防洪指标及专家经验定量化等,如图 4-1 所示。

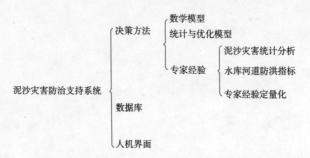

图 4-1　专家经验在泥沙灾害防治支持系统中的位置

　　泥沙灾害是黄河治理中的重要问题。黄河泥沙的冲刷、搬运和淤积数量之大,列世界河流之前列。目前黄河的泥沙治理已经积累了大量经验和研究成果,在进行泥沙灾害的防治决策时主要是依靠历史资料和经验,还没有建立相应的软件和专家系统,更不能对可能出现的不同大小含沙量的洪水进行准确的泥沙灾害分析与防治。同时,这种对泥沙灾害进行计算和分析的周期一般较长,不能满足防洪调度和决策的需要,使调度方案和灾害防治存在较大的盲目性,给泥沙灾害防治决策的实施带来风险。为了将专家经验定量化,首先需要研究水库与河道的冲淤特性,在此基础上研究专家经验形成的规则。

　　本章和下章分别以黄河中、下游为研究区域,总结和整理三门峡水库在不同调度运用条件下水库与下游河道的冲淤特性,提出水库与河道水沙灾害防治专家经验形成的规则。

第一节　三门峡水库冲淤影响因素

一、三门峡水库概况

　　三门峡水库是黄河干流上修建的首座综合性大型水利枢纽工程,控制流域面积 68.8 万 km²,占黄河流域总面积的 91.5%。三门峡水库库区上至黄河干流龙门以下的小北干流、支流渭河下游和北洛河下游以及汾河入汇口,下至三门峡枢纽,如图 4-2 所示。小北干流是典型的游荡性河道,从龙门到潼关河段长 132.5 km,河床宽、浅、散、乱,平均河宽 8.5 km,有的河段河宽达 10 km 以上,河床冲淤变化迅速,主流摆动频繁,河道比降上陡下缓。渭河是黄河最大的一级支流,渭河下游左岸主要有泾河、石川河、北洛河等支流汇入,右岸支流众多,均发源于秦岭北麓,俗称南山支流。

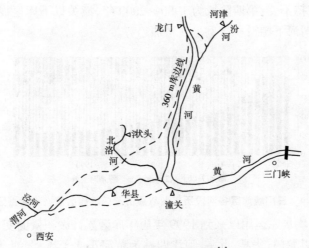

图 4-2　三门峡水库平面图[1]

三门峡水利枢纽从工程规划、设计到工程建设,从枢纽运行、改建、增建到调度管理,洪水与泥沙问题一直是人们瞩目的焦点。规划阶段"三起三落",几经波折,设计阶段水库运用方式实质是水沙的处理方式,不管是"蓄水拦沙",还是"拦洪排沙",认识的局限导致规划与设计的不足。1960 年的建成与蓄水曾经令人振奋:黄河干流三个洪水来源区的两个将被控制,黄河下游的浑水也将变清。但是随之而来的泥沙严重淤积迫使工程在投入运行后不久便不得不两次进行改建,三次改变运行方式。三门峡水库的实践不仅有洪水与泥沙控制方面的深刻教训,也丰富了人们处理洪水与泥沙的经验。

二、三门峡水库冲淤影响因素与发展趋势

天然河流在自然状态下水流与河床之间往往处于相对均衡的状态,或者是长时期较为稳定的冲淤平衡状态,或者是长时期较为稳定的冲刷或淤积状态。大坝的兴建在坝上游形成了水库,为了实现水库的防洪、发电、灌溉、给水等多目标综合管理而将水位抬高,使库区水深增大,水面比降变缓,流速减小,水流的输沙能力明显降低,造成大量泥沙在库内淤积。在来水来沙不变的条件下,因壅水而造成的泥沙淤积量随时间变化的关系,如图 4-3 所示。在壅水初期,边界条件变化剧烈,水沙与边界根本不能适应,

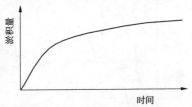

图 4-3　壅水造成的泥沙淤积量随时间的变化关系

造成泥沙的大量淤积。随着泥沙的不断淤积,水沙与边界又逐步相互适应,泥沙淤积量也会随之降低,最后逐步达到水沙与边界条件的某种平衡状态。从水库运用的经验来分析,要达到淤积平衡状态往往要经历一个过程,如果再加上来水来沙变化、水库运行方式的改变等,这个过程则往往是漫长的。图 4-4 为三门峡库区各河段历年淤积量占三门峡库区总淤积量百分比[2]的变化情况,可以分为三个阶段,第一阶段为 1961~1963 年,潼关以下淤积量呈现增加趋势;第二阶段为 1964~1970 年,潼关以下库区淤积减少,小北干流和渭河淤积比例增加,说明淤积逐步向上游发展;第三阶段为 1970~1980 年,此期间三个库段

的淤积比例基本维持不变;第四阶段为 1980～2000 年,潼关以下库区泥沙淤积比例逐渐降低,小北干流和渭河下游淤积比例呈现增加趋势。

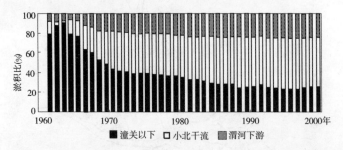

图4-4 三门峡库区各河段历年淤积量占三门峡库区总淤积量百分比

图 4-5 为三门峡水库运用以来到 1999 年历年库区累计淤积量的变化情况[2,3]。为资料统计方便,分别以龙门、华县、洑头、河津四站为黄河小北干流、渭河、北洛河、汾河的进库控制站(见图 4-2)。可以看出,三门峡水库的淤积过程经历了三个阶段:第一阶段从运用到 1970 年为库区淤积阶段。在水库开始运用期间,通常是大量泥沙的淤积。三门峡水库开始运行期间更是如此,一方面蓄水水位较高,泄流能力严重不足,另一方面恰逢 1964 年、1966 年、1967 年三个丰水丰沙年,致使该期间泥沙淤积严重,至 1970 年达到顶峰。第二阶段是从 1970 年到 1985 年,为库区冲刷时段。随着枢纽改建以及运用方式的变化,枢纽的泄流排沙能力进一步增加,蓄清排浑的运用方式也使淤积泥沙总量减小,库容有所增加。第三阶段为 1985 年以来库区泥沙持续淤积阶段。虽然水库运用方式依旧是蓄清排浑,但是上游来水来沙情况发生了较大变化,特别是来水量的降低,使库区原本年内冲淤相对平衡或略有冲刷的局面被破坏,淤积泥沙得不到冲刷,致使库区泥沙淤积量持续增加。

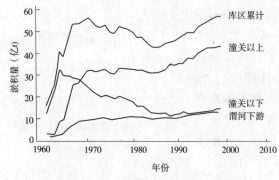

图4-5 三门峡水库历年累计淤积量

从图 4-5 还可以看出,随着库区泥沙淤积量的增减,潼关上、下不同库段的淤积量也呈现出完全相异的冲淤变化特点。在第一阶段 1961～1970 年,潼关上、下两段库区基本上均保持快速淤积,潼关以下库区增长更快;第二阶段潼关以上库段泥沙淤积量基本维持不变,潼关以下库段则有明显冲刷;第三阶段整个库区呈现淤积态势,潼关以上淤积数量较大。

与图 4-3 所示的一般壅水造成的泥沙淤积过程相比,三门峡水库的泥沙淤积过程除了与来水来沙大小与过程有关外,还受以下因素影响:

(1)干、支流来水来沙发生变化;

(2)水库的运用方式与排沙方式;

(3)库区地形。

第二节　来水来沙变化的影响

三门峡库区潼关以上河道包括黄河干流龙门以下的北干流、支流渭河和北洛河下游、以及汾河入汇口。来水来沙对水库冲淤的影响在潼关及其以上河段最为明显,而潼关以下河段则更多地受水库运用方式的影响。本节主要讨论来水来沙对潼关及其以上库区段冲淤特性的影响。

一、潼关高程变化特点

(一)大水冲刷、小水淤积

潼关高程的变化在不同时期变化不同,当来水来沙作用为主,水库回水影响较小时呈现出河道的演变特点●[4,5],即:①"大水冲刷、小水淤积";②小北干流出现高含沙洪水,潼关冲淤变化不大或淤积,渭河出现高含沙洪水,冲刷作用明显。反之则不一定具有这一特点。三门峡建库以前,潼关的高程变化主要受来水来沙的影响,上述变化特点明显。图4-6为潼关水位与流量的关系[6],建库前水位与流量呈顺时针关系;建库后的滞洪排沙期,受水库回水的影响,洪峰的作用减弱甚至消失;蓄清排浑运用后,潼关脱离回水,受来水来沙作用控导,又具有"大水冲刷、小水淤积"的特点。

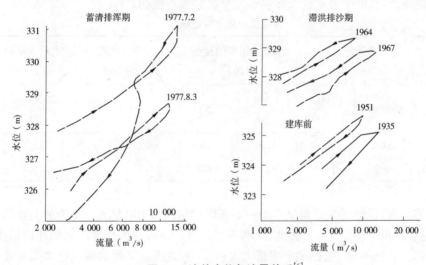

图4-6　潼关水位与流量关系[6]

蓄清排浑运用以来,可以分为三个阶段。一是1974~1985年,二是1986~1996年,三是1996年至今。前两者的水沙特性相差较大,为不同来水来沙的两个系列(见表4-1),后者受库区射流清淤作业等的影响暂不作分析。姜乃迁[2]等2001年曾分析了前两个阶段潼关高程的变化特点(见图4-7)。由图可见,潼关高程的变化基本遵循非汛期升高、汛期降低的规律。以1986年为界,潼关高程的变化可划分为前后两个不同的时段。前一时

●　焦恩泽,张翠萍.三门峡水库建库前潼关河床变动分析.1993

图 4-7　高程历年变化过程

段的主要特点为:1975 年汛期潼关高程大幅度下降,冲刷达 1.16 m;1976～1979 年连年上升,其中 1977 年非汛期的升幅达 1.09 m;1981～1985 年连年下降,其中 1981 年汛期降幅达 1 m。1974～1985 年时段非汛期和汛期的平均升降值均在 0.5 m 以上。潼关高程 1973 年汛末为 326.64 m,1985 年汛末为 326.57 m,从整个时段来说几乎没有变化。后一时段潼关高程变化的主要特点为:1986～1991 年连年上升;1992 年汛期大幅度下降,冲刷达 1 m;1993～1995 年又连年上升。1986～1995 年时段非汛期平均淤高 0.39 m,汛期平均刷深 0.23 m,淤积和冲刷的幅度均比前一时段小。1995 年汛末潼关高程 328.17 m,比 1985 年汛末高出 1.6 m。

汛期三门峡水库敞泄运用,坝前水位一般在 310 m 以下,对潼关高程的影响很小,一般当汛期坝前水位下降到 305 m 以下时,潼关高程下降[5]。因此,潼关高程的变化主要取决于来水来沙条件和河床的边界及淤积状况。汛期来水量越大,潼关高程下降的幅度就可能越大。4 次最大的汛期冲刷(1975 年、1981 年、1983 年、1992 年),除 1992 年与渭河高含沙有关外,均是由于来水量大和洪水发生次数多造成的。

表 4-1　　　　　　　　　　　各流量级来水特征统计

系列年	各流量级 (m³/s)		天数占汛期的比例 (%)		各流量级 (m³/s)		水量占汛期的比例 (%)	
	>2 500	2 500～ 1 500	1 500 ～500	≤500	>2 500	2 500～ 1 500	1 500～ 500	≤500
1974～1985	34.1	32.0	32.0	1.9	56.2	28.5	15.0	0.3
1986～1995	9.3	19.1	57.4	14.1	24.1	28.8	43.4	3.7

就平均而言,汛期潼关高程保持不冲不淤的水量约为 100 亿 m³,每增加 100 亿 m³ 水量,潼关高程约可下降 0.4 m。因此,汛期来水量的多少对潼关高程汛期的冲刷幅度起着决定的作用。1986 年以后,汛期来水量大大减少,潼关高程下降的幅度也大大减小,有些年汛期反而升高。

点绘潼关高程变化值与反映来水能量的 $\rho W J$ 的关系,见图 4-8,ρ 为浑水密度,W 为汛期水量,J 为汛期潼关—坩垮段平均水面比降。图中将华县水量占潼关水量 25% 为界分开点绘,可见当华县水量占潼关水量大于 25% 时,点据偏下,说明以华县站为主的来水对潼关高程的冲刷力度比以龙门站为主的来水要大。同时,以华县站为主的来水与潼关高程的关系也相对较好。

潼关高程的冲刷主要是由洪水造成的,1974～1995 年汛期共发生约 106 次洪水。由于洪水因来源不同和含沙量大小不同而使潼关高程表现出不同的冲淤特性,因此,依洪水来源将洪水分为以渭河为主洪水(华县流量占潼关流量25%以上)和以龙门为主洪水;依含沙量的大小将洪水分为高含沙洪水(华县或龙门最大含沙量大于300 kg/m³,相应潼关平均含沙量大于100 kg/m³)和一般洪水。通过对各次洪水所引起潼关高程变化的分析,得到如下认识:汛期的第一场洪水大多产生冲刷;当一次较大的冲刷发生之后,下一场洪水的冲刷力度大大减弱,甚至产生淤积;以渭河为主的洪水大多数产生冲刷,尤其是高含沙洪

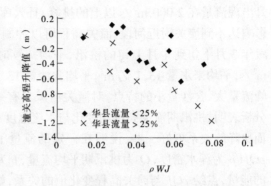

图4-8 汛期潼关高程变化与 ρWJ 关系

水冲刷幅度更大;以龙门为主的洪水冲淤次数相近,但高含沙洪水淤积的机会多一些。

当渭河高含沙又同时伴随较大流量(潼关平均流量2 500 m³/s以上)时,对潼关河床的冲刷作用非常大,潼关河段几次大的冲刷大多是由此类渭河高含沙洪水造成的。1977年7月的一次渭河高含沙洪水使潼关高程下降2.5 m。1992年8月的一次渭河高含沙洪水使潼关高程下降1.6 m。

由于洪水期间潼关1 000 m³/s流量水位不易确定,且可能会产生较大误差,因而以潼关测流断面328 m高程以下面积的变化来反映潼关断面的冲淤变化。分析面积变化与洪水期平均流量、含沙量和水面比降的关系,发现面积变化与潼关站平均流量之间具有一定相关性,而与潼关站平均含沙量和潼关—坩埚段平均水面比降之间缺乏趋势性关系。由图4-9(资料限于1985~1995年)可见,对于以龙门为主的洪水,面积差有正有负,即冲、淤均有发生,面积差随流量增大有增加的趋势,表明来自龙门的洪水使潼关高程下降的作用不明显,但在流量大于2 500 m³/s以后,下降作用明显;对于龙门高含沙洪水,面积差也有正有负,表明龙门高含沙洪水对潼关高程冲刷的作用不大。对于以渭河为主的洪水,面积差均为正值,即潼关河床发生冲刷,表明来自渭河的洪水一般使潼关高程下降;对于渭河高含沙洪水,面积差与流量之间关系最好,表明渭河高含沙洪水随流量的增加而对潼关河床冲刷增加的作用十分显著。

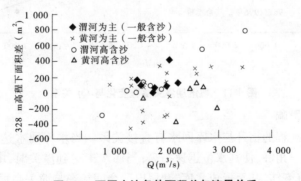

图4-9 不同水沙条件面积差与流量关系

不仅汛期的大水,而且其他时期的大水对潼关高程也有降低作用。黄河在每年3~4

月出现流量在 2 000 m³/s 以上的桃峰,且入库时的坝前起调水位不超过 320 m 时,回水影响达不到潼关附近河段,潼关高程可以冲刷下降[6]。姜乃迁等 2001 年进一步指出[7],每年 3 月下旬到 4 月上旬的桃汛,平均持续时间为 11 天。桃汛期洪峰平均流量 2 312 m³/s,平均来水量 13.1 亿 m³,平均含沙量 13.7 kg/m³。桃汛具有发生时间相对固定、洪峰流量大、含沙量小的特点,对潼关河床具有一定冲刷作用,潼关高程平均下降0.09 m。分析表明,桃汛期潼关高程的变化与水流强度和潼关河段水面比降均有较好关系,且与水面比降的关系更好一些,说明在一定的流量下,水库运用水位起着较大的作用[5,7]。以 ρQJ(ρ 为浑水密度,Q 为桃汛期平均流量,J 为桃汛期潼关—坩垮段水面比降)表示水流的能量,点绘 ρQJ 与潼关高程变化值的关系,如图 4-10 所示。

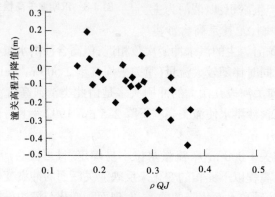

图 4-10 桃汛期潼关高程变化与 ρQJ 关系

汛期也是如此,如图 4-11 所示[8]。这说明,潼关高程的变化不仅与水量有关,而且也受平均水面比降的影响。

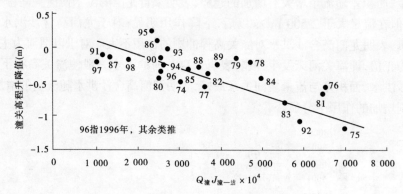

图 4-11 桃汛期潼关高程变化与 QJ 关系

(二)水库回水影响

建库以来潼关高程的抬升与水库回水有直接关系。当水库回水达到或超过潼关时,会在潼关上下形成三角洲,使其水位迅速抬高;当回水未达到潼关时,由于水库泥沙淤积的影响,使库区比降变缓,甚至形成水库"翘尾巴",会间接影响潼关高程。

根据三门峡水库承担任务的不同,非汛期蓄水主要可分为凌前蓄水(一般在 11~12 月)、防凌蓄水(一般在 1~3 月)和春灌蓄水(一般在 3~6 月)等几个不同运用阶段,各阶段潼关高程均有不同程度的升高,平均抬升为:凌前蓄水,0.22 m;防凌蓄水,0.1 m;春灌蓄水,0.17 m。从整体上看,非汛期潼关高程的升幅主要与三门峡水库的运用水位有关,而与来水来沙量的关系相对较弱。

二、潼关以上河段的冲淤情况

龙门、华县、㳇头、河津四站分别为黄河北干流、渭河、北洛河、汾河的主要水文控制站(图4-2),这四股水流合流形成一个龙华㳇河至潼关的汇流区。汇流区河床冲淤变化复杂,下面分别讨论龙门—潼关河段以及渭河下游的冲淤情况。

(一)龙门—潼关河段

龙门—潼关河段长132.5 km,河床宽浅、散乱,平均河宽8.5 km,河床冲淤变化迅速、主流摆动频繁,河道比降上陡下缓,为游荡性河道。从来水来沙以及时间的顺序来看,也可以分成与上述类似的几个阶段。三门峡水库蓄清排浑运用以来,也可以1986年为界分为前、后两个阶段。随着来水来沙的减少,特别是来水量的减少,该河段与北方许多缺水河流一样,也向枯萎方向发展。

从大水、小水的角度来看,可以分为两种情况。当水沙搭配协调时依然是"大水冲刷、小水淤积"。如洪峰小、含沙量较高时,发生淤积。当发生这类洪水时,淤积集中在河槽内,河道排沙比较小,引起水位普遍上升。如1972年9月2~4日龙门洪峰流量2 920 m³/s,最大含沙量570 kg/m³,沿程水位升高,龙门升高0.57 m,北赵0.17 m,王村0.21 m,夹马口0.45 m。而当洪峰大,持续时间长,含沙量较小时,河道发生明显冲刷,甚至在河床下切的同时展宽。如1981年9月洪峰流量达5 000 m³/s,而含沙量只有10 kg/m³左右,这类洪水多来自河口镇以上少沙来源区。当水沙搭配不协调时,会出现不同的情况。如洪峰大、沙量也多的情况。这类洪水多来自粗泥沙来源区,对河道造成的影响可分两种情况。一种是在特定水沙条件和河床边界条件产生的剧烈冲刷或"揭河底"强烈冲刷,另一种是滩槽的强烈淤积。又如非汛期小水时,含沙量很小,则常常引起主槽冲刷。

(二)渭河下游

渭河下游的冲淤既受来水来沙条件的影响,同时在一定程度上也受潼关高程变化的影响。

渭河下游自古就是水沙异源,其水量主要来自渭河干流咸阳以上,沙量主要来自支流泾河和北洛河。从多年平均情况看,咸阳来水量占华县水量的62.4%,泾河张家山占18.1%,而咸阳来沙量占华县沙量37%,张家山占62%[9]。

渭河下游河道冲淤主要取决于汛期洪水,而不同的洪水来源和组合形成不同的冲淤特性。

(1)咸阳以上来水,水流平稳,历时长,含沙量小,泥沙粒径较细,多年平均含沙量为29 kg/m³。1986~1995年间,一般洪水含沙量在100~250 kg/m³之间。咸阳站流量小于4 500 m³/s的中、小洪水,进入渭河下游华县至华阴河段,因河道比降变缓,水流挟沙能力降低,产生少量淤积。但洪峰流量大于4 500 m³/s的大洪水对渭河下游河槽有着冲刷和拓宽作用。如1981年8月22日和9月8日临潼站两场大于5 000 m³/s的洪水,含沙量均小于33 kg/m³,对临潼以下河槽发生冲刷,临潼、华县两站河槽冲刷拓宽断面面积增加 20%～30%，断面宽度增加 20～30 m，冲刷影响到潼关断面，潼关高程下降约 0.2 m。可见渭河咸阳以上有利的洪水条件对渭河下游及潼关高程均能产生有利的影响[10]。

（2）泾河洪水峰型尖瘦，历时短、涨落急剧、含沙量高、泥沙粒径大、流速大、水流挟沙能力强。小流量、高含沙洪水使渭河下游淤积严重。而高含沙大洪水有时对渭河下游产生强烈冲刷，也就是所谓的"揭河底"冲刷，对于减缓渭河河道淤积，降低潼关高程有着明显的作用。

从三门峡水库建库到 1980 年的 20 年中，渭河下游共出现了 5 次"揭河底"冲刷，平均 4 年一次。1981～1995 年 15 年间只发生过一次。1986 年以后咸阳以上洪水来源区的洪水次数和量级均减小，而泾河小流量高含沙洪水次数增加，加剧了渭河下游的淤积发展。

（3）北洛河来水来沙对渭河下游也有影响。当北洛河有高含沙洪水入汇而渭河来水较少或黄河对渭河顶托作用较强时，在入渭口附近常常出现较大范围的淤积体，影响口门以上河段的淤积。如 1994 年汛期，北洛河出现了 1933 年以来的最大一场洪水，洑头和朝邑站洪峰流量分别达到 6 280 m³/s 和 2 050 m³/s，最大含沙量为 858 kg/m³，北洛河洪水顶托渭河洪水，再加上黄河洪水倒灌渭河，致使渭河下游淤积严重[11]。

第三节　水库运用方式的影响

三门峡水库修建以来，对枢纽工程进行了两次增建或改建，水库运用方式也有三次变化。这三种运用方式分别为蓄水拦沙运用期、滞洪排沙运用期和蓄清排浑运用期。

一、蓄水拦沙运用期（1960 年 9 月～1964 年 10 月）

该时期可以分为两个阶段，第一阶段为 1960 年 9 月～1962 年 3 月，水库蓄水拦沙；第二阶段为 1962 年 3 月～1964 年 10 月，此阶段虽改为滞洪排沙运用，但因泄流规模较小，死库容未淤满，遇丰水丰沙年份时水库的拦沙作用仍然很显著，下泄水流较清，故当作蓄水拦沙期来分析更加合理。

这一时期水库的冲淤特点是，库区发生严重淤积，淤积的泥沙数量为 43.9 亿 m³，淤积的部位主要在潼关以下，约占总淤积量的 80%，潼关以上只占不到 20%。

潼关至三门峡库区发生严重淤积，河床淤积厚度从上向下沿程增厚（见图 4-12），上段约淤厚 4 m，中段约 12 m，下段 20 m，从淤积量的沿程分布看，集中在断面 26～31，约占潼关以下总淤积量的 60%。在淤积过程中，除异重流排泄部分细沙外，各组泥沙均发生淤积，粗泥沙（＞0.05 mm）占总淤积量的 40%，中泥沙（0.05～0.025 mm）和细泥沙（＜0.025 mm）各占 30%[6]。随着泥沙淤积，库容迅速损失，1964 年汛后 335 m 高程以下库容仅 57 亿 m³，库容损失 43%（见图 4-5）。

二、滞洪排沙运用期（1964 年 10 月～1973 年 10 月）

水流扩大泄流规模后，坝前水位 300 m 时泄流 3 000 m³/s，305 m 时泄流 5 000 m³/s（不包括机组）。库区的冲淤特点是，大水时壅水滞洪排沙，库区发生淤积，小水时泄空冲刷。潼关以下库区发生明显的溯源冲刷，蓄水期淤积最厚的部位正是滞洪排沙期冲刷最大的部位(见图 4-12)。

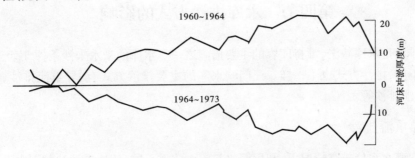

图 4-12　潼关以下库区不同时期冲淤厚度沿程变化[6]

三、蓄清排浑运用期(1973 年 11 月~2001 年 10 月)

1973 年 11 月以来为蓄清排浑控制运用期,非汛期(11 月至次年 6 月)库水位一般控制在 320 m 上下,最高水位不超过 326 m,汛期(7~10 月)降低水位防洪排沙,水位为 300~305 m。该运用期库区的冲淤特点是,非汛期发生淤积,汛期降低水位控制运用,库区发生冲刷。

图 4-13 为三门峡水库该时期不同阶段各流量级的天数和冲刷强度[12]。从图可以看出:①蓄清排浑运用以来三个阶段小流量级的出现天数呈增加趋势,而大流量级出现的天数则呈减小趋势。同一阶段不同流量级的出现天数分布为,中小流量级出现天数多,小流量级的出现天数少,中等流量级或大流量级出现天数更少。②冲刷强度随流量的变化曲

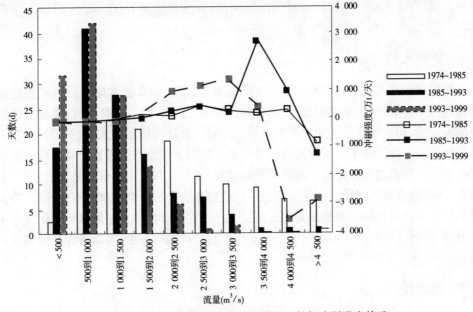

图 4-13　三门峡水库不同阶段流量级天数与冲刷强度关系

线与天数变化不一致。小流量级的冲刷强度较小,随着流量增加,冲刷强度也逐步增大,在 3 000~4 000 m³/s 流量级时冲刷强度达到最大值,大于某一流量级后出现淤积状态。

第四节 水库排沙方式的影响

水库排沙是水库减淤、维持库容的主要措施之一。水库的来水来沙条件、库区地形及运用方式不同,排沙方式也不一样。三门峡水库的主要排沙方式有:异重流排沙、壅水明流排沙、敞泄排沙等。

一、异重流排沙

在水库壅水水位较高情况下,利用清水与浑水比重不同,使挟带泥沙的浑水潜入清水之下贴河床床面而行,并从排沙底孔或恰当高程的泄水孔排出,这就是所谓的异重流排沙。异重流排沙的特点是不仅减少了水库淤积,保持了有效库容,具有较高的排沙效率,而且还不降低运行水头,不影响发电和灌溉等综合效益。但是它的缺点在于其运动规律和时机较难控制。三门峡水库在蓄水期回水超过潼关,汇流区水流散乱,水面开阔,局部地形复杂,加大了异重流局部损失,排沙效果较差。在1961~1964年蓄水运用初期,由于泄洪排沙孔口高程较高(300 m),最初排沙效果较差,以后随着淤积逐渐加大,平均排出沙量占同期进库沙量的25.7%[6]。

二、壅水排沙

在水库运行水位较高发生壅水时,水库泄水排沙,是不稳定不平衡的输沙过程,属壅水明流排沙。三门峡水库滞洪排沙期,除1962~1964年洪水期在水位较高时形成异重流排沙外,一般均为壅水明流排沙。蓄清排浑期,只有流量大于 6 000 m³/s 时属壅水明流排沙。

三、降低水位冲刷

水库的淤积是水位抬高导致水流流速降低所造成的,而降低水库运行水位则是提高水流流速、排除泥沙的一个常用办法,几种情况示意见图4-14。一般而言,降低水位将会形成溯源冲刷,而水流流量的加大则产生沿程冲刷。在这种运用方式下,溯源冲刷和沿程冲刷可能都会发生。每年适当时候适当降低水位运行会减少水库特别是坝区段的泥沙淤积。该办法的特点是有一定的冲刷效率和排沙量,但是不利于水库综合效益的发挥,如发电效益、灌溉效益等都将受到一定的损失。但这种办法通常是恢复坝区有效库容,使发电或灌溉等效益得到长期保证的重要措施之一。一般需要降低一定量的水位并保证一定的冲刷时间,同时又不致严重影响发电。因此降低水位冲刷与发电、灌溉等综合效益有一定矛盾。

四、敞泄排沙

如果说降低水位冲刷是局部清除泥沙的话,那么敞泄排沙则是沿程提高水流流速、全面排除泥沙的一个有效措施。敞泄意味着不仅要降低水位,而且还要加大出库流量。在这种运用方式下,库区相当的范围之内将都会发生溯源冲刷和沿程冲刷。每年适当时候

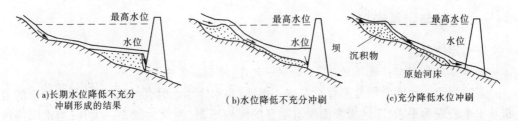

图 4-14　降低水位冲刷示意[13]

适当降低水位运行会减少水库特别是坝区段的泥沙淤积。该办法的特点是冲刷效率高，排沙量大，但是有两大缺点。一是不利于水库综合效益的发挥，如发电效益、灌溉效益等都将受到很大的损失，有时甚至是不现实的。二是出库水流小水带大沙，可能不利于下游河道，在下游河道会产生淤积。但这种办法通常是恢复水库有效库容，保证水库长期使用的重要措施之一[13]。如三门峡水库 1970 年 8 月洪峰过后潼关高程下降 1.9 m 就是沿程冲刷以及溯源冲刷所致。又如 1964 年 10 月 25 日水库水位急剧下降，由 322 m 下降到 309 m，至 1965 年 2 月 5 日，潼关以下库区冲刷 3.16 亿 t，为同期入库沙量的 3.76 倍，最大冲刷强度达 1 200 万 t/d[6]。溯源冲刷初期，排沙量很大，含沙量维持在 50～70 kg/m³，其后沿程冲刷随之发生，这种排沙效果往往出现小水带大沙，虽对恢复库容有好处，但对下游不利，因此在进行溯源冲刷时，应上、下游统筹考虑，尽量造成大、中水冲刷，充分利用下游河道大水输沙能力较大的特点，减轻下游河道淤积。

水库泄空排沙产生强烈的溯源冲刷，是水库排沙的有效措施之一，但是高含沙洪水时降低库水位能否发生强烈的溯源冲刷，过去研究不多。据 1994 年 8 月 1～23 日洪水期有计划降低库水位泄洪排沙的实测资料统计，在这个洪水过程中可以分为 8 月 6～10 日和 8 月 14～20 日两个洪峰时段进行计算，潼关来水量分别为 13.1 亿 m³ 和 12.8 亿 m³，来沙量分别为 2.24 亿 t 和 1.00 亿 t，平均含沙量分别为 171 kg/m³ 和 78.1 kg/m³，坝前最大降低水位差分别为 11.56 m 和 7.0 m，库区冲刷量分别为 0.55 和 0.73 亿 t，每次洪水中平均冲刷 1 t 泥沙的耗水量分别为 23.8 m³ 和 17.5 m³。这就表明在高含沙洪水时适当降低库水位，不仅可以使洪水挟带的大量泥沙通过水库，并且还可以把库区前期淤积的泥沙冲出库外，其冲刷效果比小流量、低含沙量时要好，可以节省输沙耗水量[14]。

五、滞洪排沙

在多沙河流的水库上经常使用所谓的滞洪排沙，即在汛期来临之际降低水位甚至空库迎汛，当洪水来临时经水库调滞，使洪水中的泥沙来不及大量落淤，甚至还冲刷起部分前期淤积物，通过泄水建筑物下泄出库。其特点是排沙效率很高，甚至超过 100％，是多沙河流上水库蓄清排浑的一种运用方式。

第五节　专家经验

专家经验可以分成定性和定量经验、理论分析，分述如下。

一、定性与定量经验

(一)定性经验

1.水库淤积形态:"死滩活槽"、"淤积一大片、冲刷一条带"

多沙河流上水库淤积普遍存在着这一规律:当水库壅水时,泥沙淤积在横断面上的分布基本上表现为平淤,库区横断面没有明显的滩槽形态,表现为淤积一大片;当水库持续或经常降低水位运用时,则库区会被冲刷出一条主槽,恢复滩槽形态,出现所谓的冲刷一条带;长期运用后,则形成所谓的高滩深槽。图 4-15 为三门峡水库运用后形成的高滩深槽[6]。

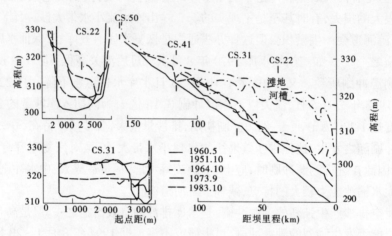

图 4-15　三门峡水库的横断面淤积形态与高滩深槽

2."大水冲刷、小水淤积"

"大水主槽冲刷、小水主槽淤积"的现象不仅存在于黄河干流的中、下游,而且也存在于黄河的支流[14~24]。

图 4-16 为 1950~1971 年渭河咸阳到华县河段泥沙淤积量(冲刷量为负)和本河段前期比降 $J_{前}$ 与张家山站最大日平均流量 Q_m 之积的关系,说明水流功率 $Q_m J_{前}$ 较大时,河段冲刷;反之则淤积。

3.高含沙水流"细颗粒泥沙输沙能力大、粗颗粒泥沙输沙能力小"

梁志勇 2001 年通过室内水槽实验,认为细颗粒含量对水流输沙有重要影响,利用以下形式的挟沙力关系来反映细颗粒的影响,并用黄河流域的有关资料进行了旁证。

$$S = K(\rho_m g q J)^m \tag{4-1}$$

式中:K 为系数,m 为指数,J 为坡降,ρ_m 为浑水密度,q 为单宽流量,g 为重力加速度。

根据试验资料,点绘了不同细颗粒含量情况下含沙量与浑水密度、单宽流量、比降之积的关系,如图 4-17 所示。可以看出,随着小于 0.01 mm 细颗粒含量的减少,$Q_s \sim Q$ 关系线呈一定变化规律,$S - \gamma_m q J (\gamma_m = \rho_m g)$ 关系线的斜率则呈明显的增加趋势,但最大含沙量 S 则差别不大。其中同一细颗粒含量比例中比降可能不同,而且有的差别较大,如细颗粒含量为 140 kg/m³ 的组次中,最大比降为 0.88%,最小比降为 0.06%。这说明,由

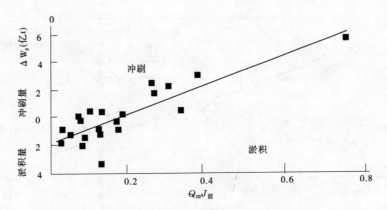

图 4-16 渭河咸阳—华县淤积量(冲刷量为负)
与 $Q_mJ_前$ 的关系[25]

于细颗粒含量较高,使得低能耗($\gamma_m qJ$ 较小)时仍然能保持较高的含沙量。例如在平原河流 $\gamma_m qJ$ 较小时,细颗粒对输沙的作用就会表现得较为突出;而在中游 $\gamma_m qJ$ 较大的地区,粗颗粒相对较多时也能够输送。高含沙水流在自上游向下游的传播过程中,如果所含细颗粒泥沙较少,则会迅速淤积,输沙表现为较不稳定;如果所含细颗粒泥沙较多,则会输送较远的距离,输沙表现较为稳定。

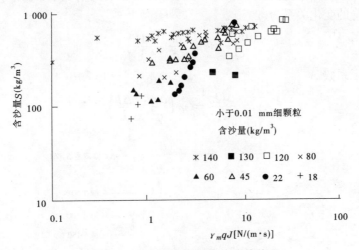

图 4-17 含沙量与流量、比降的关系

进一步分析可以得出指数 m 与小于 0.01 mm 细颗粒含沙量 S_f 的关系,以及系数 K 与小于 0.01 mm 细颗粒含沙量 S_f 的关系,如图 4-18 所示。其相关关系可以用下列关系描述(相关系数分别为 0.95 和 0.85)

$$m = 0.91 - 0.005\,3S_f \tag{4-2}$$

$$K = 26S_f^{0.48} \tag{4-3}$$

从定性结果来看,小于 0.01 mm 的细颗粒含量 S_f 越小,水沙搭配指数越大;S_f 越大,水沙搭配指数越小。这说明,当细颗粒含量较小时,含沙量或单宽输沙率与单宽流量

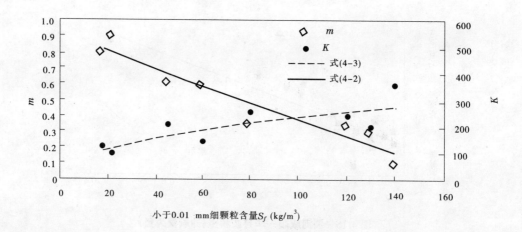

图 4-18　K、m 与细颗粒含量 S_f 的关系

关系的指数越大,类似于或趋向于推移质输沙率与流量关系指数;当细颗粒含量较大时,含沙量或单宽输沙率与单宽流量关系的指数越小,趋向于冲泻质输沙率与流量关系指数 1 或水流向宾汉体转化。

输沙率可以写成

$$Q_s = q_s B = KQ(\rho g q J)^m \tag{4-4}$$

在流量和细颗粒含沙量沿程不变以及不考虑浑水影响的情况下,可以导出输沙率随单宽流量和比降的变化关系为

$$\frac{\mathrm{d}Q_s}{Q_s} = m\left(\frac{\mathrm{d}q}{q} + \frac{\mathrm{d}J}{J}\right) \tag{4-5}$$

或者输沙不稳定系数 Λ

$$\Lambda = \frac{\Delta Q_s}{Q_s} = m\left(\frac{\Delta q}{q} + \frac{\Delta J}{J}\right) \tag{4-6}$$

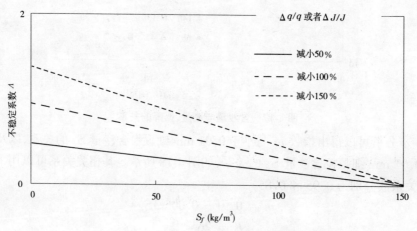

图 4-19　不稳定系数 Λ 与细颗粒泥沙含量 S_f 的关系

图 4-19 绘制了单宽流量减少量 $\frac{\Delta q}{q}$（或者比降减少量 $\frac{\Delta J}{J}$）减小不同数量情况下，不稳定系数 Λ 与细颗粒泥沙含量 S_f 的关系。可以看出，①在河段水流或者比降条件一定的前提下，细颗粒含沙量越小，河段输沙越不稳定。即细颗粒含沙量越大，维持河段的稳定输沙更加容易。例如当单宽流量或者比降降低 100%，细颗粒含沙量为 50 kg/m³ 左右时不稳定系数为 60%；细颗粒含沙量为 100 kg/m³ 左右时不稳定系数为 35%。②河段输沙越不稳定，单宽流量或者比降降低所需要的河段就越长。例如当细颗粒含沙量为 100 kg/m³，单宽流量或者比降降低量为 50% 时不稳定系数为 20% 左右，单宽流量或者比降降低量大于 100% 时不稳定系数为 40% 左右，而单宽流量或者比降降低大于 150% 时不稳定系数为 60%。③单宽流量或者比降降低越大，维持同样的不稳定系数就越困难。

焦恩泽[5]等 2001 年曾对来自渭河和黄河的高含沙洪水进行了分析，认为渭河洪水所含泥沙颗粒较细，小于 0.01 mm 以下的百分比为 33% 左右。在一般情况下，渭河发生平均流量 600 m³/s 以上的高含沙洪水时，对渭河下游和潼关高程有冲刷作用；发生高含沙小洪水时则发生淤积，对潼关高程不利。黄河小北干流宽浅，主流摆动频繁，出现高含沙洪水时容易发生剧烈冲刷（或所谓"揭河底"冲刷），但洪水行至潼关附近时往往达到超饱和状态而发生淤积，潼关高程随之上升。

(二)定量经验

1. 小北干流与渭河的洪水冲刷

一次大水过程中，主槽通常是涨水冲刷，落水淤积，而且冲刷幅度大于淤积幅度。高含沙洪水也是如此。据水文年鉴记载，黄河上高含沙洪水河槽冲刷深度在一两天内最大达到过近 10 m。

高含沙洪水含沙量高，水流动量大，其挟带泥沙能力的变化幅度也比低含沙水流大，因此表现为剧烈的冲刷或淤积。高含沙水流是在一定来水来沙和边界条件下水流挟带大量泥沙的运动，而一旦这种条件受到影响，高含沙水流将会发生相应的变化。高含沙洪水的强烈堆积现象正是边界条件发生变化后，水沙运动难以维持的结果。高含沙洪水的冲刷与大水、涨水以及河床淤积物的积累与可冲性有关，高含沙水流的淤积与小水大沙、落水以及滩槽等边界条件的变化有关。无论是高含沙水流冲刷还是高含沙水流淤积，其幅度均较低含沙洪水为大。

拿高含沙洪水的冲刷而言，其冲刷幅度比低含沙洪水大，淤滩刷槽，会使河槽在较长距离内产生大幅度冲刷。一方面，可能会增大河槽过洪能力，使洪水位降低，从而对稳定河势、减缓河道淤积产生相当的作用，也会有利于高含沙水流的输送；另一方面，在冲刷范围之外的河段，则可能会发生淤积，有时淤积量还较大。在冲刷范围之内的河段，由于高含沙水流惯性较大，在发生冲刷的同时，往往伴随着主流的摆动，水位也剧烈变化。

洪水冲刷河床一般经历以下过程：①河床泥沙首先被冲刷。从冲刷的角度讲，水流作用于河床的剪应力应该足以克服河床泥沙的起动剪应力。②被冲起的泥沙能被水流挟带。

梁志勇认为洪水过程的非恒定性是造成河床冲淤变化的直接动力，水流的高含沙量以及较细的床沙组成加剧了河床的冲淤变化[26]。根据动量原理，可以导出非恒定流涨水

引起的河床冲刷率

$$\frac{\rho_s(1-p)\mathrm{d}D}{\mathrm{d}t} = K_1\left[\rho_m C\frac{\mathrm{d}q}{\mathrm{d}t} - 0.1\rho_m\left(\frac{\rho_s-\rho_m}{\rho_m}gd\right)^{1.5}\right] \qquad (4-7)$$

式中：ρ_m 为浑水密度，ρ_s 为泥沙的密度，C 为洪水波的传播速度，p 为床沙的孔隙率，$\mathrm{d}D$ 为时间 $\mathrm{d}t$ 内的冲刷厚度，K_1 为系数，g 为重力加速度，q 为单宽流量，d 为床沙代表粒径。

河床冲刷率为水流单位时间内从单位面积河床上冲刷带走的泥沙重量。冲刷率除与水流功率和泥沙起动功率之差成比例外，还受到坡降 J、泥沙粒径等因素的影响，这样引入代表粒径，并替换为浑水的代表粒径

$$d_* = \left(\frac{\upsilon_m^2 d}{g}\right)^{1/4} \qquad (4-8)$$

可将式(4-7)无量纲化为

$$\frac{\dfrac{\rho_s(1-p)\mathrm{d}D}{\mathrm{d}t}}{\dfrac{\rho_m\upsilon_m}{d_*}} = K_2\frac{\rho_m}{\rho_s-\rho_m}\frac{\rho_m C\dfrac{\mathrm{d}q}{\mathrm{d}t} - 0.1\rho_m\left(\dfrac{\rho_s-\rho_m}{\rho_m}gd\right)^{1.5}}{\rho_m g\upsilon_m}J_0^n \qquad (4-9)$$

式中：ρ_m 和 ρ_s 为浑水和泥沙的密度，K_2 为系数，J_0 为涨水前比降，d 为床沙粒径，υ_m 为浑水的运动粘性系数。

上式表明，非恒定流涨水引起的河床冲刷率等于第一项涨水波引起的水流功率减去第二项泥沙起动的功率。实际上，黄河上河床淤积物较多，泥沙组成通常较细，在洪水期泥沙起动后极易进入悬浮状态，所以可以不考虑泥沙的起动功率问题。因而从实用的角度出发，可以采用下式计算非恒定流引起的冲刷率

$$\frac{\rho_s(1-p)\mathrm{d}D}{\mathrm{d}t} = K_2\frac{\rho_m}{\rho_s-\rho_m}\frac{\rho_m C\dfrac{\mathrm{d}q}{\mathrm{d}t}}{gd_*}J_0^n \qquad (4-10)$$

或者直接用下式计算洪水最大冲刷深度或洪水过后冲刷深度

$$\Delta D = K_2\frac{\rho_m^2}{\rho_s(\rho_s-\rho_m)(1-p)}\frac{C\Delta q}{gd_*}J_0^n \qquad (4-11)$$

式中：ΔD 为冲刷厚度，Δq 为洪水上涨流量（Q_m-Q_0）与水槽宽度之比。

上式表明，洪水最大冲刷厚度主要与浑水密度、洪水波传播速度、单宽流量上涨量、河段坡降、床沙粒径等有关。利用黄河干、支流的资料对上式进行了统计相关，这些冲刷资料既有低含沙水流的，也有高含沙水流的，如图4-20所示。

统计结果表明，二者相关程度较高，相关系数为0.86，可以写成

$$\Delta D_f = 0.020\,4\frac{\rho_m^2}{\rho_s(\rho_s-\rho_m)(1-p)}\frac{Cq_{\max}}{gd_*}J_0^{0.8} \qquad (4-12)$$

式中：ΔD_f 为洪水过后的冲刷深度，$q_{\max}$ 代表洪峰流量与河槽宽度之比。

公式(4-12)考虑因素简单，计算方便。在建立上述关系时，既采用了含沙量较低的资料，也利用了所能够收集到的高含沙量洪水资料，所以该关系同时适用于该地区的低含沙

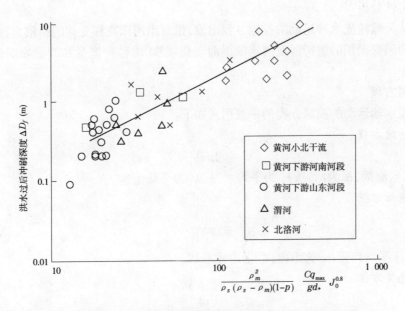

图 4-20　洪水过后冲刷深度与涨水波水流功率的关系

与高含沙非恒定水流,可以用来估算洪水对黄河干、支流河床的冲刷情况。

2.水库溯源冲刷输沙率

梁国亭等曾经根据 1989~1999 年水库降低水位排沙的资料分析统计了溯源冲刷的输沙率与平均流量和比降的关系,如图 4-21 所示[12]。可以看出,溯源冲刷时输沙能力与流量和比降的某一次方成正比,流量越大,水库溯源冲刷向上发展越快,溯源冲刷范围就越大;反之,流量减小时,水库溯源冲刷向上发展速度慢,溯源冲刷范围就越小。据 1994~1999年资料统计,汛期库区年平均冲刷量为 0.769 3 亿 t,其中利用洪水排沙期库区年平均冲刷 1.064 亿 t,为汛期冲刷量的 138%。

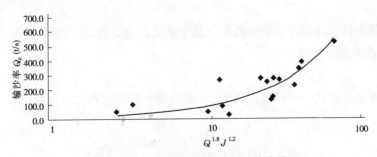

图 4-21　三门峡水库溯源冲刷的输沙关系

二、水库溯源冲刷和淤积的分析模型

挟沙河流水沙情况变化复杂,一般多适用于数值求解。但在某些特定的情况下,如因水库降低水位而引起的溯源冲刷问题,水库抬高水位而引起的溯源淤积问题,则可以简化为单纯的溯源冲刷或溯源淤积问题。因此我们可以建立一个解析模式,用来进行这种特定情形下的定性分析[13]。

下面将从天然河流水沙运动的控制方程出发,推导出河床高程变化的扩散方程,并求出溯源冲刷和溯源淤积的解析解及河床纵剖面变化规律、泥沙冲淤量和冲淤影响范围等的计算公式。

(一)控制方程

天然河流水沙运动的控制方程的一维形式如下。

1.水流连续方程

$$Q = BHV \tag{4-13}$$

式中:Q 为水流流量,B 为河宽,H 为平均水深,V 为平均流速。

2.水流运动方程

$$\frac{\partial Z}{\partial x} = \frac{V^2}{C^2 H} \tag{4-14}$$

式中:Z 为河床平均高程,x 为距离,C 为谢才系数。

3.泥沙连续方程

$$\rho' B \frac{\partial Z}{\partial t} + \frac{\partial Q_s}{\partial x} = 0 \tag{4-15}$$

式中:ρ' 为淤积物干密度,t 为时间,Q_s 为输沙率。

4.泥沙运动方程

泥沙的输移是水流运动的结果,维持悬移质泥沙悬浮与运动的能量来源于水流运动能量。水流维持泥沙悬浮的功率为

$$P_s = (\rho_s - \rho) g \omega S_V \tag{4-16}$$

式中:ρ_s、ρ 分别为泥沙与水流的密度,g 为重力加速度,ω 为泥沙沉降速度,S_V 为水流含沙浓度,以体积百分比计。水流运动功率为

$$P = \rho g V J \tag{4-17}$$

式中:J 为比降。

既然水流维持泥沙悬浮运动的能量来源于水流运动能量,那么悬浮功率 P_s 与水流功率 P 之间应存在如下关系

$$P_s = K_1 P \tag{4-18}$$

式中:K_1 为系数。由式(4-16)到式(4-18)不难推得水流的体积含沙浓度

$$S_V = K_1 \frac{\rho V J}{(\rho_s - \rho) \omega} \tag{4-19}$$

或输沙率

$$Q_s = K_1 \frac{Q \rho_s \rho V J}{(\rho_s - \rho) \omega} \tag{4-20}$$

这样联解以上式(4-13)、式(4-14)及式(4-20),并假定流量等沿程基本不变可以得到挟带悬移质的河流中河底高程的变化方程分别为

$$\frac{\partial Z}{\partial t} = K_z \frac{\partial^2 Z}{\partial x^2} \tag{4-21}$$

式中:系数 K_z 为

$$K_z = K_1 \frac{\rho_s \rho Q^2}{\gamma' B (\rho_s - \rho) \omega A} \tag{4-22}$$

式(4-21)是河底高程 Z 变化的扩散方程,它是在假定河道水流为恒定均匀流的条件下得到的。它们表明,对冲积河流而言,河床冲淤的随时及沿程变化与河流的水流及泥沙特性有关。对于以悬移质为主的挟沙河流,河床冲淤的变化主要和水流流量大小及泥沙特性有关。

(二)溯源冲刷与溯源淤积的物理图景

1.水库降低水位后的冲刷问题

水库蓄水至某一高度后,坝前水位下降,从而使水库水面比降加大,河床将发生自下而上的溯源冲刷。这一问题可概化为:当时间 t 不大于零时,坝前水位未下降,泥沙输移处于平衡状态。而后突然开启闸门或加大闸门开度,坝前水位下降,使水面比降增大。这相当于坝前水面突然下降了某一高度 Z_0,此时,在远离口门较长距离的地方,河流仍处于平衡状态。如果用 Z_1 代表河床的冲刷厚度,则上述初始和边界条件可以概化为

$$\begin{cases} Z_1(x_1,0) = 0 & x_1 > 0 \\ Z_1(0,t) = Z_0 & t > 0 \\ Z_1(\infty,t) = 0 & t > 0 \end{cases} \tag{4-23}$$

2.水库抬高水位引起的淤积问题

假定水库运用前河流输沙基本处于平衡状态,水库蓄水后,水流流速降低,从而使河床产生自下游向上游的溯源淤积。这一问题可概化为:在时间 t 不大于零时,河段水流为恒定均匀流,泥沙输移处于平衡状态。而后坝前水位突然升高,水面比降减缓。坝前抬高水位为 Z_0,如果用 Z_2 代表水库某处的淤积厚度,则该问题的初始和边界条件可以概化为

$$\begin{cases} Z_2(x_2,0) = 0 & x_2 > 0 \\ Z_2(0,t) = Z_0 & t > 0 \\ Z_2(\infty,t) = 0 & t > 0 \end{cases} \tag{4-24}$$

(三)理论分析解

从上述方程式可以解得水库溯源冲刷和溯源淤积情况下扩散方程的解分别为

$$Z_1(x,t) = Z_0 \operatorname{erfc}\left(\frac{x_1}{2\sqrt{Kt}}\right) \tag{4-25}$$

和

$$Z_2(x,t) = Z_0 \operatorname{erfc}\left(\frac{x_2}{2\sqrt{Kt}}\right) \tag{4-26}$$

式中:erfc 为余误差函数,$\operatorname{erfc}(\eta) = 1 - \operatorname{erf}(\eta)$,而

$$\operatorname{erf}(\eta) = \frac{2}{\sqrt{\pi}} \int_0^\eta e^{-\eta^2} d\eta$$

其中:$\eta = \frac{x}{2\sqrt{Kt}}$。上述关系式所代表的函数关系,见图4-22。

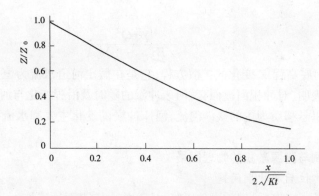

图 4-22 Z/Z_0 与 $\dfrac{x}{2\sqrt{Kt}}$ 的关系

上述关系式(4-25)反映了水沙来量一定且水流输沙基本平衡时水库因降低或抬高水位而产生的溯源冲刷或溯源淤积时的纵剖面调整的过程:在溯源冲刷或溯源淤积范围内,沿河道任一位置处冲刷或淤积厚度随时间的增加而增加,任一时刻冲刷或淤积的深度随距大坝之距离的增加而减少。当时间趋于无穷大时,任一处河底的冲淤变化 Z 都趋于 Z_0,即最终河床纵剖面将冲刷或淤积到与原河床相平行为止。当然,这仅仅是一个有条件的定性分析,实际情况远为复杂。

对于给定时刻 t,溯源冲刷或淤积便有一个与之相对应的河床冲淤或纵剖面形状,且河床冲淤厚度 Z 值离大坝愈远愈小。因此可定义溯源冲淤范围为 $Z/Z_0 = 1\% \sim 5\%$,则溯源冲淤的距离为

$$x_{max} = 2.78\sqrt{Kt} \tag{4-27}$$

系数 K 越大,即河流流量越大,泥沙越细,则溯源冲淤影响的范围也越大。任一位置 x 处溯源冲刷或溯源淤积的历时为

$$t_{max} = \frac{x^2}{7.73K} \tag{4-28}$$

系数 K 越小,溯源冲淤的历时则越长。任一时刻或时段任一河段的冲淤量也可通过冲淤厚度变化方程式积分得到。

参 考 文 献

1 尹学良等.黄河下游的河性.北京:中国水利水电出版社,1995

2 刑大韦等.影响三门峡库区潼关高程的主要因素和控制措施.见:三门峡水利枢纽运用四十周年论文集.郑州:黄河水利出版社,2001

3 唐先海等.三门峡水库对陕西库区的影响及其治理对策.见:三门峡水利枢纽运用四十周年论文集.郑州:黄河水利出版社,2001

4 程龙渊等.三门峡库区水文泥沙实验研究.郑州:黄河水利出版社,1999

5 焦恩泽.潼关高程演变规律及其成因分析.泥沙研究,2001(2)

6 钱意颖等.黄河干流水沙变化与河床演变.北京:中国建材工业出版社,1993

7 姜乃迁,侯素珍,李文学等.来水来沙对潼关高程的影响.泥沙研究,2001(2)

8 孙绵惠等.近期潼关水沙变化对河床冲淤的影响.见:三门峡水利枢纽运用四十周年论文集.郑州:黄河水利出版

社,2001

9　王贵娥等.渭河水沙条件变化对河床冲淤的影响分析.见:三门峡水利枢纽运用四十周年论文集.郑州:黄河水利出版社,2001

10　李杨俊等.渭河下游河道萎缩特性分析和改善对策.人民黄河,1998(7)

11　周文浩等.潼关高程及遏止渭河下游淤积的对策.见:三门峡水利枢纽运用四十周年论文集.郑州:黄河水利出版社,2001

12　梁国亭等.三门峡水库运用对库区冲淤影响的研究.见:三门峡水利枢纽运用四十周年论文集.郑州:黄河水利出版社,2001

13　梁志勇等.引水防沙与河床演变.北京:中国建材工业出版社,2000

14　缪凤举等."洪水排沙、平水发电"三门峡水库汛期发电运用方式的研究.泥沙研究,2001(2)

15　李春荣.黄河小北干流河床揭底的观察与分析.人民黄河,1993(6)

16　刘继祥.高含沙水流作用下渭河下游河道冲淤.见:第二届全国泥沙基本理论研究学术讨论会论文集.北京:中国建材工业出版社,1995

17　齐璞等.黄河高含沙水流运动规律及应用前景.北京:科学出版社,1993

18　席占平.黄河龙门长河段揭河底冲刷现象分析.人民黄河,1999(9)

19　杨丽丰等.龙潼段近年来冲淤变化规律的研究.见:第二届全国泥沙基本理论研究学术讨论会论文集.北京:中国建材工业出版社,1995

20　尹学良.黄河下游河床演变.北京:中国水利水电出版社,1992

21　赵业安等.黄河下游河床演变基本规律.郑州:黄河出版社,1997

22　梁志勇等.试论来水来沙的造床作用.水文,1994(1)

23　梁志勇等.水沙条件对黄河下游河床演变影响的分析途径兼论水沙与断面形态关系.水利水运科学研究,1994(12)

24　梁志勇等.黄河高含沙水流水沙运动与河床演变.郑州:黄河水利出版社,2001

25　赵文林等.渭河下游冲淤中的几个问题.见:黄河泥沙研究工作协调小组,黄河泥沙研究报告选编(一),下册,1978

26　梁志勇等.高含沙洪水冲刷规律的探讨.泥沙研究,1999(6)

第五章　下游河道冲淤特性与专家经验

黄河下游河道一般自小浪底起算(也有自三门峡或桃花峪算起的),经过河南、山东两省,在东营市入海,如图5-1所示。

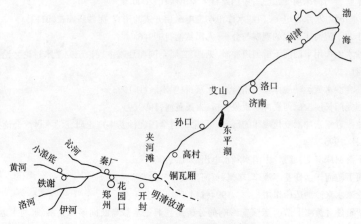

图5-1　黄河下游河道形势

第一节　河道一般冲淤特性

一、来水来沙与边界条件

(一)来水来沙搭配差

1.水沙搭配不良

水沙搭配不良表现在以下三个方面[1~4]。①水少沙多。进入黄河下游(花园口站)的年平均水量约440亿 m^3,年平均沙量14亿 t,平均含沙量32kg/m^3。含沙量之高,居世界各河流之首。②水沙过程不完全相应。图5-2为花园口站1970年以来的水量和沙量历年变化情况,可以看出,二者变化情况并不完全一致。如1977年为枯水多沙年,年水量327亿 m^3,沙量却达20.8亿 t。另外,年内分布也不均匀。水沙量主要集中在汛期,而沙量集中程度更高。③汛期、非汛期水流所挟带泥沙的粗细不相应。黄河下游的泥沙运动主要以悬移质为主,汛期泥沙主要由暴雨从流域表面侵蚀并通过水流挟带下来,泥沙颗粒较细;非汛期泥沙则主要来自河床,颗粒较粗。如花园口站汛期悬移质多年平均中值粒径为0.02 mm,非汛期则为0.035 mm。

2.水沙搭配因洪水来源不同而异

水沙搭配差还表现在其因洪水来源不同而异方面,表5-1列出了不同泥沙来源区及其水沙特点。粗泥沙来源区洪水流量虽小,但来沙颗粒粗、含沙量高,往往造成下游河道

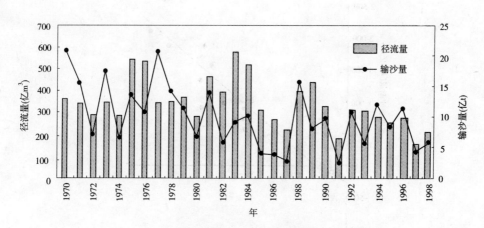

图 5-2　花园口站 1970 年以来水沙量历年变化[1]

的严重淤积;而少沙来源区的洪水则有利于下游河道的冲刷,如图 5-3 所示。有关细颗粒泥沙含量对输沙能力的影响可参考上一章,有关少沙来源区洪水对下游河道的影响可以参考考表 5-2[5]。表 5-2 列出了平衡与超饱和输沙情况下汇流后输沙率 Q_{s1} 与汇流前输沙率 Q_{s0} 之比 Q_{s1}/Q_{s0} 随汇流比 η、汇流后流量与汇流前流量之比 Q_1/Q_0、输沙系数之比 K_1/K_0 等的变化关系,其中超饱和输沙情况考虑的是伊洛河、沁河汇流对三门峡到花园口河段的影响。可见,在超饱和输沙情况下少沙区汇流会使主河减少淤积或略有冲刷。

表 5-1　　　　　　　　　　　　　挟沙洪水来源不同的差异

按泥沙多寡区分	多沙区		少沙区
按泥沙粗细区分	粗泥沙来源区	细泥沙来源区	少沙来源区
范围	河口镇—龙门区间、马莲河、北洛河等	除马莲河以外的泾河干支流、渭河上游、汾河等	河口镇以上、渭河南山支流、伊洛河、沁河等
洪水	"上大型"洪水		"下大型"洪水
	洪水流量小	洪水流量大小皆有	洪水流量较大
泥沙	含沙量高、粗颗粒泥沙多	含沙量较高、细颗粒泥沙较多	含沙量小
下游河道	淤积为主	冲淤皆有	冲刷为主
对下游造成淤积评价	危害较大	危害较小	
图 5-3	实心点·		空心点。

---

❶ 梁志勇等.黄河下游河床演变.见:丹麦水利研究所等.黄河防洪项目中期报告.2000

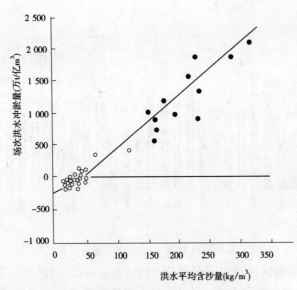

图 5-3　不同来源区场次洪水下游河道冲淤量
与含沙量的关系(修改自赵文林主编[6])

表 5-2　　　　　　　　少沙区伊洛河、沁河汇流与平衡输沙情况比较

	室内试验(平均输沙情况)		黄河下游(超饱和输沙情况)	
汇流			当 $\dfrac{\exp(1.39\eta)}{S_V^{0.3}} \geqslant 4$ 时 $$\frac{Q_{s1}}{Q_{s0}} = 0.06\frac{\exp(2.64\eta)}{S_V^{0.57}}$$ 否则 $\dfrac{Q_{s1}}{Q_{s0}} = 0.7$	
汇流一般情况	$\dfrac{Q_{s1}}{Q_{s0}} = (1+\eta)^m$		$\dfrac{Q_{s1}}{Q_{s0}} = \dfrac{K_1 Q_1^{m_1}}{K_2 Q_0^{m_0}}$	
特殊情况($m=2$)	$K_1 = K_0, \dfrac{Q_{s1}}{Q_{s0}} = (1+\eta)^2$		$m_1 = m_0, \dfrac{Q_{s1}}{Q_{s0}} = 0.7(1+\eta)^2, \dfrac{K_1}{K_0} = 0.7$	
汇流前 $Q_1 = Q_0, \eta = 1$	$\dfrac{Q_{s1}}{Q_{s0}} = 1$	冲淤平衡状态	$\dfrac{Q_{s1}}{Q_{s0}} = 0.7$	淤积30%
汇流20%后 $\eta = 0.2$	$\dfrac{Q_{s1}}{Q_{s0}} = 1.44$	冲刷44%	$\dfrac{Q_{s1}}{Q_{s0}} = 1.01$	冲刷1%

(二)河槽边界约束差

1.横向边界约束较差

黄河下游河道的平面形态表现为上段(河南段)宽、下段(山东段)窄,虽然两侧受堤防所限制,但河宽却仍有几千米。正是由于横向边界约束较差,才使主流更加容易发生摆

动,河势变化更加频繁,河槽淤积更加强烈,河槽呈现宽浅形态。例如黄河下游上段的宽深比 B/H 在 $500\sim5\,000$,下段的宽深比在 $200\sim1\,000$;而长江新厂、汉口和大通站的宽深比 B/H 则在 100 左右,前者明显大于后者[7~8]。

横向边界约束较差有利于形成游荡性河道或多股型河道[9]。

2.纵向边界约束较差

黄河下游不仅横向约束较差,纵向约束也较差。从纵剖面形态来看,黄河下游是河道不断淤积、河床不断抬高的结果,其纵剖面表现为随时间而不断抬高。正是由于纵向边界约束较差,才使大水时主流更易居中,水流更易切滩,比较难以形成稳定的深槽,因此也是使河槽呈现宽浅形态的因素之一。例如黄河下游上段的比降在 $1.5/10\,000$ 以上,下段的比降在 $1/10\,000$ 左右或稍高。黄河花园口站海拔有 $90\ m$ 高;长江汉口站的水面海拔只有 $25\ m$ 左右,而且汉口距海比花园口还要远得多。

随来流强度和边界条件的不同,主流线会有不同程度的弯曲,即所谓的"小水坐弯,大水趋中"。主流线的弯曲实质上反映了水流纵向惯性力与横向惯性力的对比关系。纵向惯性力是指顺河槽方向水流运动的惯性力,横向惯性力是指与主流方向正交的水流离心惯性力。当纵向惯性力的增加大于横向惯性力的增加时,主流趋直;反之则主流弯曲。主流线变化的趋势是水流纵、横向惯性力与河床边界条件保持某种均衡[10]。

水流横向惯性力或离心惯性力与纵向惯性力之比为

$$\eta = \frac{V^2}{gRJ} \tag{5-1}$$

横向与纵向惯性力的合力方向代表着水流的运动趋向。当河道的纵向约束较小或比降较大时,η 值较小,主流比较容易趋直,因此河道的弯曲程度往往较小。如黄河下游上段的弯曲系数在 1.05 左右,下段的弯曲系数在 1.2 左右,比长江荆江河段的 2.84 要小得多。

二、冲淤特性

(一)"大水冲刷、小水淤积"模式

以往研究表明,在天然情况下下游河道的冲淤变化与来水流量大小存在明显的关系,特别是山东河段,见图 5-4 所示。从图中可以看出,小于某一流量(约 $1\,800\ m^3/s$)后,河道呈现淤积状态;大于该流量后河道呈现冲刷状态。为表述方便,暂将大于该流量的来水情况称为大水,小于该流量的来水情况称为小水。小水期间淤积最大的流量在 $800\sim1\,200\ m^3/s$ 之间,小浪底水库的运用会限制该级流量的排泄,这种小水淤积会明显降低。

下游河道断面的冲淤变化特点概括为:①河槽大水期冲刷,小水期淤积;冲刷的同时河槽展宽,淤积的同时河槽束窄。②大水期过后,河槽单一;小水期过后,河槽为复式河槽或存在嫩滩,由于主流靠岸,河宽方向的淤积尺度要远大于水深方向的淤积尺度。③汛期的断面形态为大水所塑造,随流量的增加河宽增加并趋于稳定,其几何形态特征主要与来水量、来沙量大小及其过程等有关;非汛期的断面形态则为小水所控制,其几何形态特征主要与小水期的长短历时等有关[11~13]。

图 5-5 为低含沙水流情况下下游河道断面的冲淤变化模式,图 5-6 为高含沙水流情况下

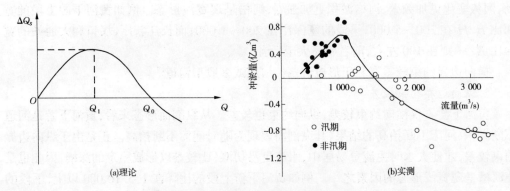

图 5-4 河道冲淤率或冲淤量与流量关系[9,14]

断面的冲淤变化模式。这种变化模式所反映的正是大水期河槽冲刷,小水期河槽淤积。

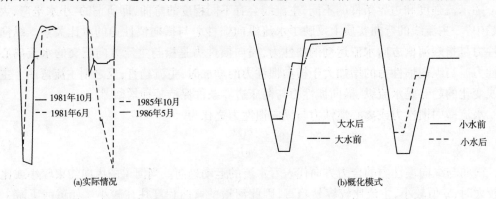

图 5-5 低含沙水流断面冲淤变化模式

(二)来水来沙与边界条件

河道冲淤变化是来水来沙和边界条件不断调整的结果。来水来沙决定了河道的基本形态,塑造了河床,而河道的边界条件反过来又影响水沙的运动。

1. 大水期河槽冲刷的有利因素

(1)来水增大。由于河道的纵向比降受到限制,大水需要的过水断面又较大而且流速较大,所以当来流增大且大于某一数量 Q_0(见图 5-7)后,河槽将可能发生冲刷。这一分界流量就是水流漫嫩滩后泥沙淤积一直到水流量增大使泥沙不淤甚至河槽受冲刷时的流量。

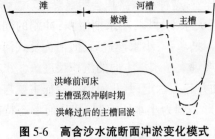

图 5-6 高含沙水流断面冲淤变化模式
(修改自赵业安等[15])

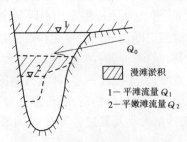

图 5-7 断面构成及其冲淤变化

图 5-8 绘制的利津站水位与流速的关系也表明,当水位高于某一值(图中为 $11.0 \sim 11.5$m)后,河道中的水流流速才开始逐步增加,从而使得河床有可能形成冲刷。

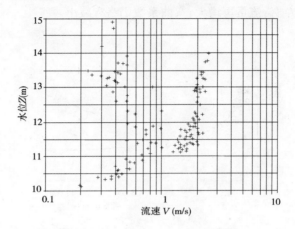

图 5-8　利津站水位与断面平均流速变化

(2)洪水漫滩。洪水漫滩(即来水流量大于 Q_1)后,大量泥沙在滩地落淤,清水归槽,从而造成河槽的冲刷[16]。

(3)阻力减弱。来水量增大后,河槽的床面形态尺寸相对减小,而且水流归顺等原因均可能造成阻力的减小。图 5-9 绘制了河道糙率 n 与水流流量 Q 的关系,这一关系正好说明,流量大于某一数量后,糙率将减小。

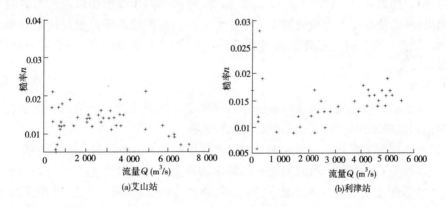

图 5-9　黄河下游糙率与流量关系

2.小水期河道淤积的有利因素

(1)来水相对减小。经过大水期的冲刷,河道的断面形态会变得窄深起来。当小水期来临水流流量减少后,河宽和水深均要减少,因此河道必然淤积。另外由于河口侵蚀基准面基本不变,使得小水期河道的纵向比降减小,从而加剧了小水的淤积。

(2)横向失去控制。大水过后河槽较宽,对小水的控制作用有限,小水来临时主流必然摆动,当然这种摆动从总体上来看仍受两岸限制的影响[17]。

图 5-10 所代表的关系就是这种现象的体现,即流量减少后主流必然弯曲,流量越小

主流弯曲程度越大,从而使河道发生边滩淤积。黄河下游主流弯曲系数 φ 与流量关系表明,当流量小于 2 000 m³/s 时,弯曲系数 φ 为 1.1~1.3;而当流量达到 5 000 m³/s 时,弯曲系数 φ 只有 1.1 左右;流量再增大,弯曲系数仍略有减小。

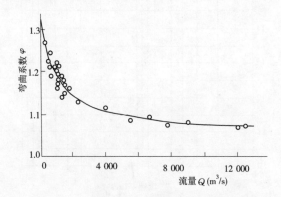

图 5-10　花园口河段主流弯曲系数与流量关系

(3)漫嫩滩。水流漫嫩滩与洪水漫滩现象是相类似的。那就是,漫滩后水流流速降低,从而造成泥沙的进一步落淤。从图 5-8 所点绘的水位与流速关系也可以看出,随着水位的增加,流速逐渐增大;当水位达到某一数量(平嫩滩水位)后,流速达到极大值;而后随着水位的增加,流速将降低。这一现象的结果是,漫嫩滩后泥沙淤积增大,这样使得黄河下游艾山以下河道存在某一流量范围内淤积严重的现象。

(4)阻力加大。小水情况下,主流蜿蜒曲折,河床上的床面形态以及两岸的险工等均相对突出,从而使水流阻力相对加大。另外小水淤积而形成的嫩滩也是使阻力增大的一个原因。图 5-9 所示的河道糙率 n 与水流流量 Q 的关系说明,流量小于某一数量后,糙率将逐步增加。

3.小结

(1)来水来沙搭配与过程及河槽边界条件决定了河流输沙及断面的冲淤变化。来水来沙决定河流的断面特性,断面形态影响水沙输移。

(2)水沙搭配关系与断面河相关系在双对数坐标纸上一般均为非线性关系。

(3)水沙关系、主流摆动、阻力关系和河床的冲刷与淤积现象是有内在联系的。那就是,在水沙搭配关系基本协调情况下,小水时,主流弯曲摆动,阻力增大,河槽淤积,并进一步加剧主流弯曲和增大阻力;大水时,主流趋直,床面形态较小,阻力不大,河槽受冲刷,水流漫滩将加剧这一冲刷。

(4)主流弯曲、河槽糙率和河道冲淤三者随流量的变化关系是一致的,三者是相应的。那就是,在特定的水沙搭配和边界条件下,当来流量小于 Q_0 时,主流弯曲系数较大,河槽的糙率也大,从而造成河槽的淤积,并进而影响水沙输移;当水流量大于 Q_0 后,主流逐步趋直,河床糙率减少,再加其他因素的影响,使河槽受到冲刷。这一关系进一步说明如图 5-11 所示。

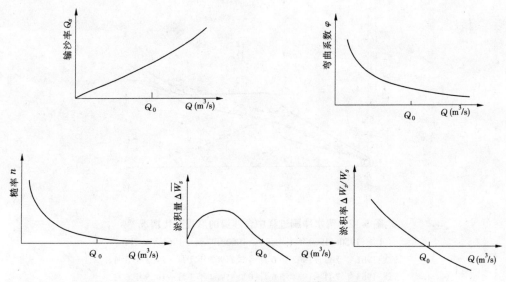

图 5-11　水沙、边界条件、河道冲淤变化与流量关系

第二节　三门峡水库不同运用方式
对下游河道冲淤的影响

三门峡水库自 1960 年 9 月正式运用以来,运用方式经历了蓄水拦沙、滞洪排沙和蓄清排浑控制三种运用方式。这三种运用方式对水沙过程影响不同,对下游河道冲淤演变的影响也不同。

一、蓄水拦沙运用期(1960 年 9 月~1964 年 10 月)

该时期可以分为两个阶段,第一阶段为 1960 年 9 月~1962 年 3 月,水库蓄水拦沙;第二阶段为 1962 年 3 月~1964 年 10 月,此阶段虽改为滞洪排沙运用,但因泄流规模较小,死库容未淤满,遇丰水丰沙年份时水库的拦沙作用仍然很显著,下泄水流较清,故当作蓄水拦沙期来分析更加合理。

下泄清水期下游河道的冲淤特点是:

(1)整个下游基本上都发生了冲刷,冲刷的泥沙数量为 23.1 亿 m^3,冲刷的部位主要在高村以上河段,约占总冲刷的 70% 左右。冲刷过程中含沙量的沿程变化情况,如图 5-12 所示。1 线为天然情况下含沙量的沿程变化情况,其含沙量数值明显大于下泄清水期的含沙量;2~6 线从小浪底的接近 0 的含沙量沿程增加,虽然中间有的河段增加较慢,但总的趋势是沿程一直增加的,直到高村,仍然保持这一趋势。

这种含沙量恢复的过程还与流量大小有关。流量越大,冲刷距离越长,从三门峡水库下泄清水期间冲刷段下端位置与流量的关系图 5-13 可以看出,当三门峡平均流量为 1 000 m^3/s 左右时,可以冲刷到花园口一带,当流量在 2 000 m^3/s 左右时可冲刷到利津。

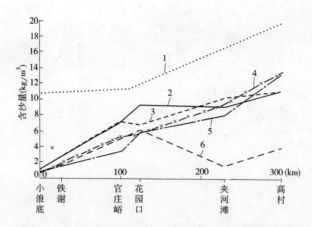

图 5-12　清水冲刷过程中含沙量的沿程变化情况[18]

1 线：1950～1960 年平均；2 线：1960 年 7 月～1961 年 6 月；
3 线：1961 年 7 月～1962 年 6 月；4 线：1962 年 7 月～1963 年 6 月；
5 线：1963 年 7 月～1964 年 6 月；6 线：1964 年 7 月～1965 年 6 月。

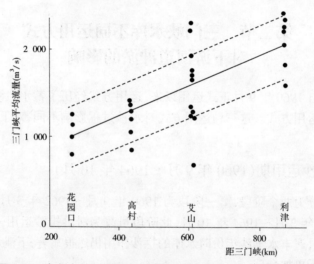

图 5-13　清水冲刷末端位置与流量关系(修改自刘月兰等❶,1975)

图 5-14 为该期间下游各主要测站汛末 3 000 m³/s 流量水位的下降情况,其中虚线为点据资料的平均线,可以看出,自铁谢到下游利津,水位降低数量呈依次衰减趋势,同流量下水位的下降一方面反映了河床的下切情况,另一方面也说明河槽的过洪能力提高了。在清水冲刷、含沙量沿程增加、河床下切的过程中,床沙也不断粗化。

(2)断面形态变得窄深,滩槽高差加大,河槽过水能力提高。从图 5-14 可以看出,铁谢—孤柏嘴(花园口上一测站)河段河床冲刷下切最为强烈;花园口—孙口差别不大,基本上保持同一水平;南桥(孙口到艾山之间)—利津水位下降值最小。与此相应,铁谢—孤柏嘴河段断面趋于窄深,滩槽高差加大;花园口—孙口河段边界约束较差,河槽在下切的同

❶ 刘月兰等.三门峡水库对下流河道冲淤输流的影响.见:黄河泥沙研究报告选编.1978

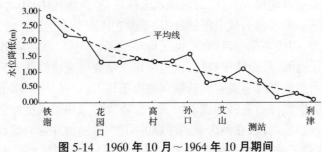

图 5-14　1960 年 10 月～1964 年 10 月期间
汛末 3 000 m³/s 流量水位的沿程变化情况

时又有展宽;南桥—利津河段边界约束较好则又以下切为主,这一点从图 5-15 可以清楚地看出。河槽展宽实际上是以滩坎坍塌的形式出现的,而滩坎坍塌又与主流摆动、河势变化关系很大。

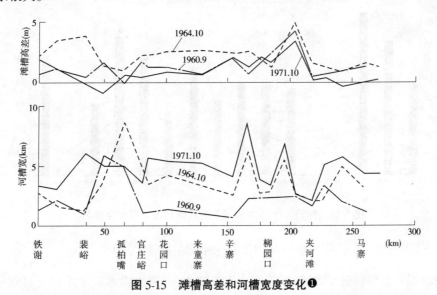

图 5-15　滩槽高差和河槽宽度变化❶

　　(3)主流摆动、河势变化造成滩地坍塌、险情增加。一是抢险次数、石料等明显增多。从图 5-16 所绘制的 1955 年到 1970 年河南河段工程出险情况可以看出,在三门峡水库下泄清水期间,工程出险次数、处数、坝垛数等都显著增加,抢险石料从 1960 年的 1.24 万 m³,逐年增加到 1964 年的 11.11 万 m³,是 1960 年的近 10 倍。二是建库后水流过程较为平稳,常常使抢险的历时加长,而建库前往往是时而上提、时而下挫。

　　(4)清水冲刷历时与河型转化问题。三门峡下泄清水的时间很短,实际上清水冲刷是一个较长的过程,比水库淤积平衡过程要长得多;对于黄河下游而言,影响河型转化的不仅是来水来沙条件,更重要的是边界条件。原因有三:其一,水库淤积是由于水库抬高水位所致,这一水位围绕着某一固定水位浮动不大;而河道冲刷依赖最强的水流过程是不断

　　❶ 刘月兰,张永昌.三门峡水库对下游河道冲淤输沙的影响.见:水电部十一工程局报告选编.1975

变化的,大小流量差别可能很大。其二,河道水流往往是"大水居中、小水靠岸",黄河下游更是如此,由于黄河下游河槽的横向限制较差(至少在河南很多河段),所以主流摆动十分频繁,摆动幅度甚大,即使在单一河槽中,也足以造成滩地淘刷、滩坎后退或洪水切滩,使河槽展宽,塌高滩还低滩,甚至滩槽易位,河道河床重新变得宽浅散乱。其三,从河型形成的角度来看,单一河槽的形成需要有利的横向约束条件[9]。三门峡水库下泄清水期间,下游河道受清水冲刷,上段卵石夹沙河床下切到一定程度后很快形成抗冲粗化层,变成稳定的窄深河道;以下的沙质河段,在河床受到冲刷的同时,滩地被冲蚀坍塌;而在两岸有约束或主流顶靠山崖或险工护岸之处,河床冲深下切也很明显,同流量水位下降,断面形态趋于窄深,游荡强度减弱;在主流不受约束或者约束较弱的地方,则滩地坍塌严重,河槽趋于宽浅,即使水流摆动有所减弱,但主流游荡,摆动依然。

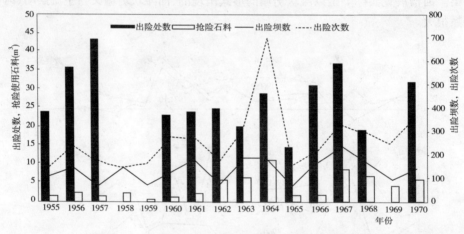

图 5-16　1955~1970 年黄河下游河南河段工程出险情况

二、滞洪排沙运用期(1964 年 10 月~1973 年 10 月)

在此期间,枢纽经过了改建,泄流能力逐步加大,但遇大洪水时水库仍有自然滞洪作用。一般在 7 月中旬后水库滞洪,洪峰调匀降低,排沙较小,且中水历时加长;而从 10 月下旬开始水库泄空,大量冲刷前期淤积物,形成"大水带小沙,小水带大沙"。

下游河道的冲淤变化也与这些变化相应:①大水带小沙,减少了淤积在滩地上的泥沙数量,使滩地淤积抬升速率降低。②小水带大沙,使下游河槽淤积增大,降低了滩槽高差,并使过洪能力降低。③中水期历时加长,使滩坎坍塌严重,抢险形势依然严峻。图 5-15 也绘制了 1971 年 10 月的滩槽高差与河槽宽沿程变化情况,可以看出,与 1964 年 10 月相比,大部分河段的滩槽高差明显降低,甚至个别河段出现负值,即滩地高程低于河槽;除个别河段外,河槽宽度也普遍增加。图 5-17 统计了下游主要水文站相对水位的历年变化情况,可以看出,与建库前的 20 世纪 50 年代相比,该阶段相对水位为快速抬高阶段,说明河床也在迅速淤高。与此相应,平滩流量迅速减小,如花园口站的平滩流量从 1965 年的 7 000 m³/s 或建库前的 5 000~6 000 m³/s 下跌到 1973 年的不足 3 000 m³/s,如图 7-7 所示。

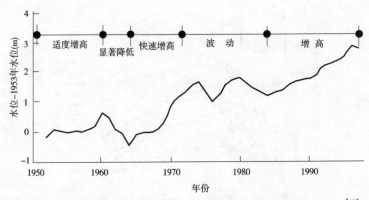

图 5-17　黄河下游主要站 3 000 m³/s 流量下的平均水位变化情况[19]

三、蓄清排浑运用期(1973 年 11 月～2001 年 10 月)

1973 年 11 月以来为蓄清排浑控制运用期,非汛期(11 月至次年 6 月)库水位一般控制在 320 m 上下,最高水位不超过 326 m,汛期(7～10 月)降低水位防洪排沙,水位为 300～305 m。该运用期下游河道的水沙特点是,非汛期因水库蓄水拦沙而下泄清水,汛期来临时降低水位泄空排沙,汛期内水库不加控制,自然滞洪排沙,对流量超过 6 000 m³/s 的洪水仍有削峰作用。基本上是非汛期下泄清水,汛期排泄浑水。

该时期下游河道的冲淤特点是:

(1)非汛期上段冲刷、下段淤积。非汛期下泄清水,到小浪底含沙量仍然很小。小浪底以下,河床为可冲刷的卵石夹沙或沙质河床,随着水流的沿程冲刷,含沙量开始沿程增大,冲刷饱和后开始沿程降低,转折点多在花园口到艾山之间,如图 5-18 所示。从图可以看出,含沙量的这种递增→饱和→衰减过程往往是含沙量的增加量大于减少量,而且,冲刷流量越大,所能冲刷的河段就越长。这一点从定性上与三门峡水库蓄水拦沙期基本一致(见图 5-13)。

(2)汛期中小水上段淤积多,下段淤积少;大水期间主要以淤滩刷槽为主,下段更为明显。该期间,非汛期淤积在水库的泥沙随着汛期库水位的下降而有相当部分被冲刷下泄,加大了洪水的含沙量,水流呈超饱和输沙状态向下游排泄,淤积的沿程分布为上大下小。图 5-19 为 1972～1984 年历年平均汛初三门峡水库低水位排沙时输沙的沿程变化情况(基本数据摘自尹学良[18],1995),自上游向下游,输沙量沿程降低,为典型的指数衰减过程。

建库前黄河下游本来就是一条挟带泥沙量大的河流,蓄清排浑运用后,加大了汛期的沙量,使水沙情况呈现出明显的"水少沙多"特征,河道的冲淤量与来沙量关系最为密切,冲淤表现为所谓的"多来多淤"。图 5-20 绘制了建库前与蓄清排浑期三门峡到花园口河段平均淤积率与三黑小(代表三门峡、黑石关、小董三站之和)来沙率之间的关系,正好说明了这种情况。

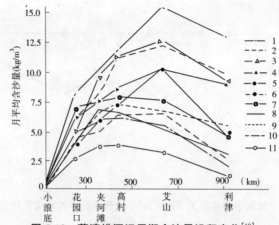

图 5-18　蓄清排浑运用期含沙量沿程变化[18]

1—1982 年 3 月，$Q=1\,190\ \mathrm{m^3/s}$；2—1976 年 3 月，$Q=1\,150\ \mathrm{m^3/s}$；

3—1976 年 4 月，$Q=1\,180\ \mathrm{m^3/s}$；4—1983 年 5 月，$Q=1\,260\ \mathrm{m^3/s}$；

5—1984 年 3 月，$Q=1\,330\ \mathrm{m^3/s}$；6—1983 年 4 月，$Q=915\ \mathrm{m^3/s}$；

7—1976 年 2 月，$Q=849\ \mathrm{m^3/s}$；8—1983 年 3 月，$Q=719\ \mathrm{m^3/s}$；

9—1983 年 2 月，$Q=593\ \mathrm{m^3/s}$；10—1978 年 3 月，$Q=572\ \mathrm{m^3/s}$；

11—1976 年 6 月，$Q=769\ \mathrm{m^3/s}$

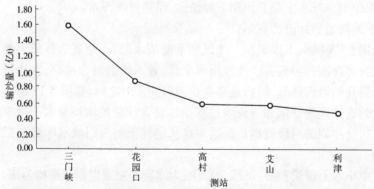

图 5-19　汛初三门峡水库低水位排沙"小水带大沙"输沙的沿程变化情况

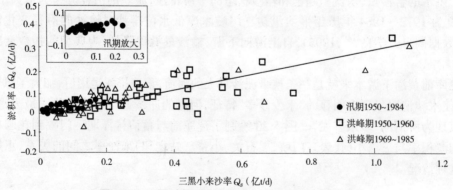

图 5-20　不同时段河道淤积率与三黑小来沙率的关系

第三节　专家经验

三门峡水库运用以来,不仅积累了许多水库运用与管理方面经验,而且在水库运用与下游河道冲淤关系方面也有不少的专家经验,下面从几个方面进行论述。

一、水沙关系

下游河道的水沙关系可以从五个方面来看:①随水库运用方式不同会有差异,下泄清水时下游河道沿程冲刷,下泄含沙量较高的浑水时则会沿程淤积;②随大水与小水会有一定变化,大水往往使河槽冲刷,小水往往使河槽淤积;③随上下河段而变,上段(河南段)往往处于非饱和输沙状态,水沙关系散乱,下段往往处于输沙相对平衡状态,水沙关系比较单一;④随断面形态而异,宽浅断面输沙能力小,窄深断面输沙能力大;⑤随含沙颗粒的粗细而异,细颗粒含量大时输沙能力强,粗颗粒含量大时输沙能力弱。

二、滩坎坍塌或崩岸

(一)崩岸的形式❶

崩岸从破坏形式上可分为滑落式和倾倒式。滑落式崩岸是破坏过程中以剪切破坏为主。由于水流作用不同,又分为主流顶冲产生的窝崩和高水位状态下的溜崩。倾倒式崩岸在破坏过程中主要是拉裂破坏,又可分为主流顺岸贴流造成的条崩和表面流入渗产生的洗崩。

窝崩多发生在河湾的迎溜顶冲部位,主要是在水流冲刷能力很强和土质抗冲性能很差的条件下,且护岸抗冲强度又不连续,才有可能形成楔入的深槽。尤其是上、下游均有较强抗冲能力的河岸,其间更易发生局部淘刷,形成楔入的深槽。窝崩的平面形态一般呈"窝状"或"鸭梨状",窝体平面宽度接近或大于窝口的长度,如图5-21所示。

在洪水季节一般持续高水位,河岸经过长时间浸泡后,土体强度下降,沿着某个滑动面向下溜崩,形成滑崩。在水位快速下降过程中,由于土体内部渗透水流外渗,因渗透水压力引起河岸溜崩。如图5-22所示。

由于主流贴近河岸对坡脚造成冲刷,临空面增大或者形成陡坎。对自然河岸来说,当上部地层是固结程度较高的黏性土,而坡脚地层是较为松散的砂土时,常常造成淘空而引起沿河岸整体产生崩塌。对这种上下土层土质强度相差较大的河岸,容易形成条崩。如图5-23所示。

堤岸长期承受波浪作用,当堤防顶部发育有张裂隙或张裂缝被雨水充填时,引发堤防崩岸。这种由波浪或雨水冲洗形成的崩塌称为洗崩。如图5-24所示。

四种崩岸形式中,窝崩强度最大,一些主要崩岸段大都属于窝崩,主要分布于弯道顶部和下部;条崩多位于深泓近岸,且平行于岸线不直接顶冲的河段;洗崩主要位于水面开阔河段,特别是河口段,受风浪洗刷而崩塌的较多。溜崩多处于湾道水流顶冲段。这四种

---

❶ 中国科学院.长江九江河段河床演变与崩岸问题研究报告.2000

崩岸形式在长江均有发生,而在黄河下游通常为条崩。

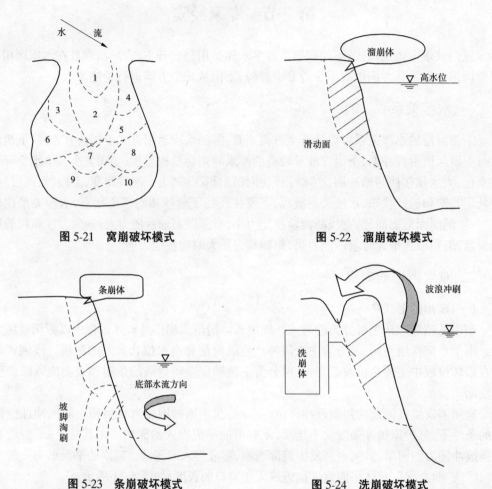

图 5-21　窝崩破坏模式　　　　　图 5-22　溜崩破坏模式

图 5-23　条崩破坏模式　　　　　图 5-24　洗崩破坏模式

(二)主流摆动与滩坎坍塌关系

河势的变化及其传播,不仅受边界条件的影响,而且也不断地对边界进行改造。滩地的坍塌正是主流摆动变化的结果。从图 5-25 模型试验资料可看出,断面 10—断面 11 间先是主流逼近右岸,引起滩坎坍塌,进而使主流的进一步摆动成为可能并使下游河势跟着变化。

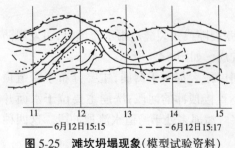

6月12日15:15　　- - - 6月12日15:17
图 5-25　滩坎坍塌现象(模型试验资料)

坍岸的位置及速率取决于以下几个方面:

(1)主流逼近滩坎的程度及其对滩坎作用力的大小。不管是弯曲河段还是顺直河段,滩坎坍塌的数量和速度都与近岸主流速度大小和方向有关,即与主流对滩坎作用力有关。在主流近岸或顶冲岸壁时,都会造成岸线的坍塌后退。

(2)主流弯曲。主流弯曲不仅使水流顶冲

滩岸,而且产生横向环流。这类横向环流都是上层水流顶冲滩坎,然后顺滩坎向下变成底层水流,挟带更多泥沙后离开滩坎。这样引起的坍岸往往是岸脚被淘空而成块坍塌,因此,主流弯曲对滩坎坍塌的影响是十分显著的。

(3)断面形态。事实上,水流弯曲,深泓逼岸,主流顶冲等的大小程度都随断面形态的不同而变化。弯曲河段断面窄深,深泓稳定靠岸。顺直过渡段则受主流上提下挫的影响而不太稳定。游荡河段由于断面宽浅而摆动频繁。忽左忽右,而且摆动强。在河岸情况等相同时,凹岸的坍岸速率可以是直段坍岸速率的若干倍。因此,断面形态是影响坍岸速率的重要因素。

(4)滩岸边界条件。水流动力对坍岸的发生、发展起主导作用。滩岸边界条件对坍岸的影响主要表现在两个方面。一是河岸的物质组成情况,河岸土质的黏粒含量越高,抗冲性越好,越不容易发生坍岸。当然,有护滩或险工控制处是不应有坍塌的。二是岸坡的几何形态,边坡愈陡坍岸的可能性和坍岸强度也愈大。也正是主流靠岸,淘刷岸坡下部,造成陡壁,然后发生塌岸。主流离开,陡坎下发生淤积,塌岸停止,陡坎也回淤成缓坡。

(三)河宽变化与塌岸的估算

1.均衡河宽问题

根据水沙条件确定均衡状态下河道的宽度有两种常用的方法。一是建立经验性的河相公式,如 M. D. Harvey 等提出的渠道演变过程中的渠道顶宽[20]

$$B = a(rQJ)^b D_{50}^c M^d \tag{5-2}$$

式中:M 为沿湿周泥沙中粉沙黏土含量百分数;D_{50} 为床沙粒径;a、b、c、d 为常数。

另外,Lane[21,22]提出的临界拖拽力法是一种应用比较广泛的方法。这个方法要求河岸物质的允许拖拽力 τ_c 要不小于水流拖拽力 τ_0 即

$$\tau_c \geqslant \tau_0 \tag{5-3}$$

式中:$\tau_0 = \rho g h J_0$。在一定的流量、比降、糙率条件下,结合曼宁公式就可以得到

$$B = \frac{nQJ^{7/6}(\rho g)^{5/3}}{\tau_0^{5/3}} \tag{5-4}$$

在已知河床组成物质的粒径后,可求出相应的临界拖拽力 τ_c 从而可以得到河岸处于稳定状态的河宽,如果计算得到的河宽大于原有的河宽,河岸将发生冲蚀。

实际上,对于天然河道来说,正像纵向保持输沙平衡一样,横向也应该保持输沙平衡。即使在河宽变化不大的情况下,断面还是要此冲彼淤,主流还是要左右摆动的。例如,天然河湾的蠕动发展过程中,无论河宽变化大小,凹岸总是不断坍塌,凸岸总是不断淤积。

因此,均衡状态下的河宽只能代表河道的行水宽度,而不能确定断面横向位移和主流行水位置,不能说明河道的纵、横向河床演变趋势。还需要研究河道横断面的变化机理,从河岸与河床相对可动性、坍岸等角度出发进行研究。

2.估算坍岸的一些方法

N.A·库兹金通过试验,曾得到同一种床沙、固定比降情况下的坍岸速率

$$\frac{dB'}{dt} = K \frac{V^4}{H} \tag{5-5}$$

式中:B' 为滩坎间距。尹学良于 1964 年在研究河岸坍塌速率时[23],较全面地考虑了滩岸

坍塌的影响因素,并考虑到因次和谐,提出

$$\frac{\mathrm{d}B'}{\mathrm{d}t} = K \frac{V^2}{gd}\left(\frac{B'}{B}\right)^n \sqrt{gH} \tag{5-6}$$

式中:d 为岸边土质粒径。如果有黏性土,应考虑其黏性影响。许炯心于 1983 年根据汉江资料[24],得出相对坍塌宽度

$$\frac{\Delta B}{B} = c_1 - k_1 \ln \frac{m}{0.76rHJ} \tag{5-7}$$

式中:m 为河岸抗冲性;c_1、k_1 分别为常数和系数。对于卵石出露的河段,$c_1 = 0.91$,$k_1 = 0.27$;对卵石未出露的河段,$c_1 = 0.35$,$k_1 = 0.14$。

A. M. Osman 等 1988 年提出了一个估算黏性物质组成河岸横向冲刷及河宽变化的方法,由此求解临界岸高、岸坡坡角及横向冲蚀宽度[25]。他提出的单位时间内横向冲蚀宽度为

$$\frac{\mathrm{d}B'}{\mathrm{d}t} = c(\tau - \tau_c)\mathrm{e}^{-k\tau_c} \tag{5-8}$$

式中:τ_c 为岸坡物质的临界剪切力,与岸坡组成等有关;τ 为水流剪切力。

3. 河岸抗冲性

影响坍岸主要有两方面因素:一是各种影响因素的作用及这些作用的持续时间,另一是河岸的高低及组成情况。

按照 Lane 的研究[22],一般情况下作用在岸坡上的最大拖拽力约是床面拖拽力的 0.77 倍。设其他因素(如风浪、冰凌)对河岸冲刷的作用为水流作用的 c 倍,则河岸受到的最大拖拽力

$$\tau_{\max} = (0.77 + c)\tau_0 = c'rhJ \tag{5-9}$$

河岸的抗冲力

$$\tau_c = f(Re_d)(r_s - r)d\cos\theta\sqrt{1 - \frac{\mathrm{tg}^2\theta}{\mathrm{tg}^2\phi}} \tag{5-10}$$

式中:$f(Re_d)$ 是沙粒雷诺数的函数,可从谢尔兹曲线上查得;θ 为岸坡角;ϕ 为泥沙自然休止角;d 为河岸组成粒径。

如果 $\tau_{\max} > \tau_c$,河岸将发生冲刷。

(四)坍岸的分析

与纵剖面变形一样,横断面变形也贯穿于河床演变的全过程。坍岸就是河道渐变积累到一定时刻达到质变而产生的。滩岸坍塌的决定因素是水流作用力与河岸抗冲力。二力之大小取决于近岸流速、河槽的相对曲度、断面形态与边界条件。

1. 主流贴岸对滩岸的剪切力

若将整个河槽水流作为均匀流看待,则河床所受剪切力为

$$\tau_0 = \frac{g}{c_0^2}\rho V^2 \tag{5-11}$$

式中:V 为断面平均流速;C_0 为谢才系数。按照 E. W. Lane 的研究[22],作用在岸坡上的最大拖拽力约是床面拖拽力的 0.77 倍,即 $\tau_b = 0.77\tau_0$。若考虑其他因素(如冰凌、风浪

等)的影响,则

$$\tau_b = (0.77 + c)\tau_0 \tag{5-12}$$

当主流靠近滩岸时,近岸水深和近岸流速均加大,滩岸所受剪切力必然大于平均剪切力 τ_0。如果将谢才公式用于垂线,考虑近岸流速加大的影响,则滩岸所受剪切力为:

$$\tau_b = (0.77 + c)\left(\frac{h}{H}\right)\frac{g}{C_0^2}\rho V^2 \tag{5-13}$$

式中:h 为近岸水深。

2. 主流弯曲所增加的滩岸剪切力

主流弯曲所增加的滩岸剪切力是水流离心惯性力作用的结果,微小河段 $\Delta l(=R\Delta\phi)$ 水体的离心惯性力为

$$\Delta F = \rho A \frac{V^2}{R} R\Delta\phi \tag{5-14}$$

这样,凹岸一侧所增加的剪切力

$$\tau_i = \frac{k\Delta F g / C_0^2}{h\left(R + \dfrac{B}{2}\right)\Delta\phi} \tag{5-15}$$

这样

$$\tau_j = \frac{\rho V^2 A}{Rh}\frac{k\,g/C_0^2}{1 + \dfrac{B}{2R}} = \frac{B}{R}\frac{H}{h}\frac{kg/C_0^2}{1 + \dfrac{B}{2R}}\rho V^2 \tag{5-16}$$

凹岸所受总剪切力为

$$\tau_b = \delta\tau_0 \tag{5-17}$$

其中

$$\delta = (0.77 + c)\left(\frac{H}{h}\right)^{4/3} + \frac{B}{R}\frac{k}{1 + \dfrac{B}{2R}}\frac{H}{h} \tag{5-18}$$

3. 滩岸形态及物质组成的影响

滩岸形态对坍塌的影响表现在岸高与岸坡两个方面。坡陡岸高则易坍岸,可用 $\sqrt{gH_B J_B}$ 形式来表达岸坡对坍岸的影响。

滩岸物质组成的不同,对滩岸坍塌有很大的影响。

综上所述,滩岸坍塌速率表达式可写作

$$\frac{\mathrm{d}B}{\mathrm{d}t} = k\frac{\tau - \tau_b}{\tau_b}\sqrt{gH_B J_B} \tag{5-19}$$

三、漫滩洪水[16,26]

天然冲积河流洪水漫滩后滩地、河槽的水流及悬移质泥沙输移与未漫滩前河槽中的水沙输移有很大区别。由于滩地与河槽在平面形态上都具有不同程度的弯曲,因而在洪水漫滩后滩地与河槽水流运动方向必然不一致,导致在河槽与滩地之间产生水沙交换,如图 5-26 所示。一方面,水流漫滩后流速降低,起到了滞洪的作用,悬移质泥沙进入滩地后

形成大量淤积,淤高了滩地;另一方面,水流归槽使河槽水沙输送也受到了影响,通常是减少了河槽的泥沙淤积或增大了其冲刷。

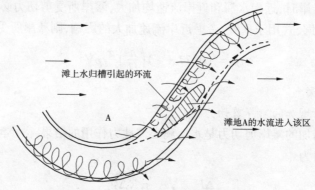

图 5-26　漫滩水流的滩槽交换

1. 滩槽泥沙交换的三种模式

冲积河流滩槽泥沙的交换方式与滩槽平面形态有很大关系。若取顺河槽方向为 X 轴,顺左右两侧滩地水流运动方向分别为 X_1 轴和 X_2 轴,则滩槽的平面形态特征可以用滩地与河槽的相对弯曲系数 φ_i 表示,令

$$\varphi_i = \frac{\partial x_i}{\partial x} \tag{5-20}$$

式中:脚标 $i=1$ 或 2 分别代表左滩地或右滩地。

根据天然河流的实际情况,我们把滩槽泥沙的交换情况概化为Ⅰ、Ⅱ和Ⅲ三种类型(如图 5-27 所示),这三种类型分别相应于 $\varphi_i=1$、$\varphi_i>1$ 和 $\varphi_i<1$。Ⅱ型和Ⅲ型为两种极端情形,Ⅰ型为中间情形。Ⅰ型河槽与滩地均比较顺直,河槽水沙入滩主要由横向比降引起;Ⅱ型河槽较顺直,河槽水沙从"节点"处归槽;Ⅲ型河槽曲度较大,水沙入滩主要由纵向比降引起。一般情况下,更多的是Ⅰ、Ⅱ、Ⅲ型的某种组合。

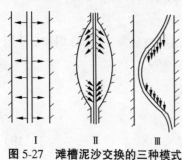

图 5-27　滩槽泥沙交换的三种模式

2. 入滩含沙量的分析

河槽悬移质泥沙进入滩地的主要途径有二:一是因时均流速作用泥沙随水流进入滩地,二是因滩槽含沙浓度不同主槽悬移质泥沙紊动扩散入滩。按照这一模式,可以导出入滩含沙量与河槽含沙量关系为

$$S_f = \frac{\exp\left(\dfrac{6\omega}{\kappa u_*}\dfrac{h_f+\Delta h}{H}\right)-1}{\exp\left(\dfrac{6\omega}{\kappa u_*}\right)-1}S_c \tag{5-21}$$

式中:ω 为悬移质泥沙沉速;κ 为卡门常数;u_* 为河槽水流的摩阻流速;h_f、H 分别为滩槽平均水深;Δh 为滩唇高程以下河槽内的某一深度,可根据资料或经验确定。在其他条件相同时,悬移质泥沙越细,入滩含沙量也相对越大;滩地相对水深越小,入滩含沙量也相对越小。当 $6\omega/\kappa u_*$ 较小或趋于零时,式(5-21)可化为

$$S_f = \frac{h_f + \Delta h}{H} S_c \tag{5-22}$$

若取$(h_f + \Delta h)/H$分别为2/3和1/2,则可得到利用黄河实测洪水资料分析所得经验关系,对于高村以上宽浅河段为2/3;对于高村以下河段为1/2。

3.漫滩洪水计算方法

漫滩洪水的计算方法已有不少研究,但几乎都未考虑滩槽水流流线长度不同、流向也不同这一情况。忽略这一情况至少会产生两方面的误差:

(1)在推导运动方程时,一般都假定滩槽摩阻比降相等,当天然河流滩槽的相对弯曲系数φ_i越大,这一假定的误差就会越大,因而正确的做法是应取滩槽的水头损失相等。这样对于整个滩槽水流可推出其连续方程和运动方程分别为

$$\frac{\partial(\rho Q)}{\partial x_i} + \frac{\partial(\rho \sum \varphi_i A_i)}{\partial t} = \rho q_0 \tag{5-23}$$

和

$$\frac{\partial(\sum \rho \varphi_i Q_i)}{\partial t} + \frac{\partial}{\partial x_i}\left(\frac{\rho M Q^2}{A}\right) + \rho g A \left[\frac{\partial Z}{\partial x_i} + \frac{Q \mid Q \mid}{(\sum K_i)^2}\right] = N_0 \tag{5-24}$$

式中:q_0为河流两侧的单宽入流量;V_i为滩或槽的水流流速;N_i为滩或槽的侧向入流动量在X_i方向的分量;Z为水位;N_0为河流两侧的入流动量在X_1方向的分量;M为滩槽动量交换系数

$$M = \frac{\sum(\rho Q_i V_i)}{\rho Q V} \tag{5-25}$$

K_i为流量模数

$$K_i = \frac{1}{n} A_i R_i^{2/3} \tag{5-26}$$

(2)从式(5-23)和式(5-24)可以看出,与以往的连续与运动方程不同的是φ_i因子的加入。φ_i因子的作用相当于改变了滩地的过流面积或流量。比如黄河下游河南河段的φ_i多大于或近于1,相当于加大了滩地的过流面积或流量;而山东河段φ_i多小于1,即相当于减少了滩地的过流面积或流量。也就是说,在滩地过流面积或流量相同时,河南河段滩地的滞洪作用大于山东河段。现状河南河段滩地过流面积本身已大于山东段,因而其滞洪作用更大于山东河段的滞洪作用。

参 考 文 献

1 胡一三主编.中国江河防洪丛书:黄河卷.北京:中国水利水电出版社,1996

2 钱宁,周文浩.黄河下游河床演变.北京:科学出版社,1965

3 钱意颖等.黄河干流水沙变化与河床演变.北京:中国建材工业出版社,1993

4 尹学良.黄河下游河床演变.北京:中国水利水电出版社,1992

5 梁志勇等.水沙与边界条件变化对高含沙水流输沙稳定性影响研究:[博士学位论文].北京:中国水利水电科学研究院,2001

6 赵文林主编.黄河泥沙.郑州:黄河水利出版社,1996

7 张植堂等.天然河湾水流动力轴线的研究.长江科学院院报,1964(1)

8 中国科学院地理所,长江科学院等.长江中下游河道特性及其演变.北京:科学出版社,1985

9 梁志勇等.黄河高含沙水流水沙运动与河床演变.郑州:黄河水利出版社,2001

10 梁志勇等.引水防沙与河床演变.北京:中国建材工业出版社,2000

11 梁志勇等.黄河下游断面形态与水沙的造床关系及其数学模拟方法.地理研究,1993(2)

12 梁志勇等.水沙条件对黄河下游河床演变影响的分析途径.水利水运科学研究,1994(12)

13 梁志勇,尹学良.试论不同来水来沙的造床作用.水文,1994(1)

14 齐璞等.黄河高含沙水流运动规律及应用前景.北京:科学出版社,1993

15 赵业安等.黄河下游河床演变基本规律.郑州:黄河水利出版社,1991

16 梁志勇等.漫滩洪水悬移质输移的探讨.泥沙研究,1989(4)

17 周志德.黄河下游"小水走弯、大水趋直"的经验关系.人民黄河,1991(3)

18 尹学良等.黄河下游的河性.北京:中国水利水电出版社,1995

19 梁志勇等.对1977～1966年黄河下游水文断面反映的河床演变的讨论.泥沙研究,2001(1)

20 Harvey, M. D. , Bernard. J. Predicting channel adjustment to channelization. Proceedings of the Forth Federal Interagency Sedimentation Conference, Vol. 1, 1986

21 Krishnappan. B. G. . Suspened seidment profile for ice covered flows, Journal of Hydraulic Engneering, ASCE, Vol. 109, No. 3, 1983 梁志勇译,周文浩校.冰盖层下泥沙的输移.泥沙情报,1986(4)

22 Lane. E. W. , Kalinske, A. A. . The relation of suspended bed material in rivers, Trans. Amer. Geophys Union. Section of Hydrology, 1939

23 尹学良.弯曲性河流河床演变特性.水利水电科学研究院河渠研究所河床演变文集,1964

24 许炯心.边界条件对水库下游河床演变的影响.地理研究,1983(4)

25 Osman. A. M. , Thorne. C. R. . Riverbank stability analysis. Jour. Of Hydraulic Engineering. ASCE, Vol. 114, No. 2, 1988

26 Wang zhaoyin, Liang zhiyong. Dynamic Features of the Lower Yellow River Mouth. Land Surface and Earth. No. 6, 2000

第六章　黄河下游洪水风险管理与风险分析

黄河下游历来以泥沙灾害出名,黄河下游的泥沙大多来源于黄河中游的黄土高原。这些泥沙造成河床淤积,河道行洪断面缩小,严重影响了下游河道的防洪能力。因此,黄河下游的泥沙灾害主要是以下游洪水灾害的形式表现出来的。因此,对黄河下游的洪水进行风险管理和风险分析,也是对泥沙灾害的分析和管理的内容之一。

第一节　洪水风险管理

一、进行洪水风险管理的原因

我国是世界上受洪涝灾害影响最为严重的国家,公元前 206 年至公元 1949 年的 2 155年间,中国发生较大的洪涝灾害1 029次,平均每两年就有一次较大的洪涝灾害。新中国成立后的 50 年来,各大江河流域都进行了大规模的以防御本世纪曾经发生的最大洪水为目标的防洪工程建设。例如在黄河流域下游,新中国成立后,就先后进行过三次大规模的堤防加高培厚,修建了东平湖水库和南展、北展工程。就堤防加高培厚一项,截至 1985 年共计投入劳力 1.47 亿工日,投资 2.98 亿元。这些水利工程的修建使得黄河在 50 多年来伏秋大汛从未决堤,两岸百姓生活稳定,对社会稳定、减免洪涝灾害损失起到了巨大作用。但是另一方面,由于受洪水影响区域内的经济的高速发展,洪水灾害损失仍在不断攀升,尤其是近 20 年来,这种趋势尤为突出。图 6-1 为近年来的全国洪水灾害损失情况。图 6-2 为近年来的全国洪灾损失与国内生产总值(GDP)的比例。

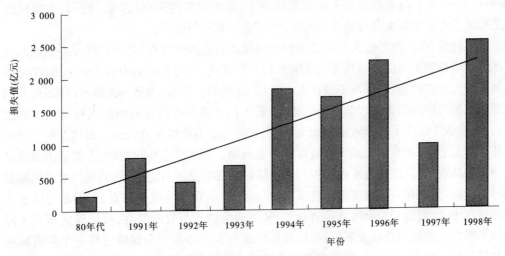

图 6-1　80 年代以来全国洪灾损失情况

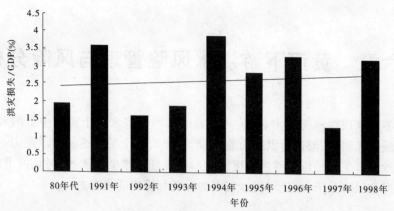

图 6-2　80 年代以来洪灾损失占国内生产总值 GDP 的比例

从图中可以看出,20 世纪 80 年代以来我国洪涝灾害的损失约占国内生产总值(GDP)的 2.6% 左右,而发达国家如日本约为 0.2%,美国约为 0.08%,相比之下,洪涝灾害对我国经济发展的影响十分严重。

人类与洪水的斗争自古有之。从 4 000 多年前的尧、舜时期治水开始,人类就没有停止过与洪水的斗争。人类与洪水的斗争大致可以分为三个阶段:

第一阶段,农业社会初期,人们只能对局部地区修建低矮堤防加以保护,遭遇大洪水时只能逃离或易地生产、生活。

第二阶段,随着人口增加、生产规模不断扩大、城市的出现和不断发展,防洪保护区的范围逐渐扩大。另一方面,科学技术水平的提高,人们就有能力修建大量的堤防来保护日益增长的物质财富。这一阶段可以说是人们不断征服自然、改造自然的过程,而且这种治水思想一直延续至近代。在经济和技术发展突飞猛进的 20 世纪,人们开展了大规模的江河整治工程建设。修筑水库拦蓄洪水,修筑堤防防止洪水泛滥。这些工程的修建,取得了显著的防洪效益,如我国在 1949 年到 1987 年的 38 年间防洪工程累计减淹成灾农田约 6 600万 hm^2,加上减免的城市工业等其他损失,减少损失约 3 000 亿元。然而,大规模防洪工程建设在取得巨大经济效益的同时,也带来一系列新问题。

第三阶段,在人类修建大量防洪工程大规模改造自然的过程中,人们逐步意识到人与自然的矛盾在逐步加深。通过大规模的水利工程建设,人们普遍地增加了安全感,在河岸两侧开始大规模的建设,城市不断扩大,人口不断集中。然而,当下一次洪水泛滥时,人们发现洪水所造成的损失比以前有增无减,于是人们又要求提高江河的防洪标准……如此下去,便形成了防洪工程投入不断加大,而洪灾损失也不断增长的局面。而且人类发现生存环境日益恶化,河流生态系统被破坏等诸多问题。在反思这些问题时,人类意识到洪水是一种自然现象,以现有技术企图控制和消除洪涝灾害是不可能的,认识到洪水的风险是不可消除的,只能在一定程度上减轻或回避。因此,从发展的观点来看,人们在与洪水斗争的过程中,既要适当控制洪水改造自然,又要适应洪水与自然共存,将洪涝灾害损失降低到不影响人类的可持续发展进程,以最低的成本实现最大安全保障这样一个防洪减灾的总体目标。洪涝灾害的风险预测及洪涝灾害风险管理的概念便是在这样的基础上提出的。

二、洪涝灾害风险及风险因素

风险通常是指一些事件发生的可能性,有时又指风险事件发生的概率和发生后产生的后果的总和,也就是说,失事的概率乘以失事后造成的损失等于风险。用数学表达式来表示,即

$$R = f(P, L)$$

式中:R 为洪涝灾害风险;P 为洪水事件发生的概率;L 为洪涝灾害风险损失。

洪涝灾害风险是由多方面因素构成的,因而洪涝灾害的风险管理也应当对各种风险因素进行全方位的管理。

暴雨风险因素:暴雨是造成洪涝灾害最直接的因素,早期预测暴雨,通过卫星遥感技术能及时监测到暴雨的生成过程,进行必要的防范,可以减轻洪涝灾害的风险。目前暴雨早期预测技术尚不成熟,卫星遥感暴雨监测逐渐成为防洪的重要手段。

洪水风险因素:暴雨在地面生成洪水,及时准确的洪水预报有助于减轻洪涝灾害风险。缺少可靠的洪水监测及预报系统,或预报精度较差常使洪涝灾害风险因素增大。

工程风险因素:防洪工程的质量隐患,常酿成重大洪涝灾害。对工程质量的管理、监测、发现并及时消除隐患是防洪减灾工作的重要内容。

洪水调度风险因素:对洪水做出预报后,及时对洪水进行调度。如确定水库调蓄水位,适时使用蓄滞洪区等。调度失误也隐藏极大的风险。

保护区管理风险因素:防洪保护区是洪水灾害的承受体,大多数低洼地区又是涝灾的承受体。如果洪水不进入保护区就不会产生灾害。在保护区内集聚大量的人口和财产,存在相当多的风险因素。对保护区进行严格管理,加强防洪减灾措施是洪涝灾害风险管理的重要内容。

防洪投入风险因素:防洪投入不足,则防洪能力不足,造成洪涝灾害的风险增加;防洪投入过大,可能造成资金的长期积压,不能发挥效益。防洪投入的决策存在两方面的风险。

三、洪涝灾害风险管理的内容

洪涝灾害风险管理是指人们对可能遇到的洪水风险进行识别、估计和评价,并在此基础上综合利用法律、行政、经济、技术、教育与工程手段,合理调整人与自然之间的关系,实现人类的最大安全保障和可持续发展的双重目标[1~16]。从发展的观点来看,洪涝灾害风险管理是指人们在与洪水斗争的过程中,既要适当控制洪水改造自然,又要适应洪水与自然共存,利用各种工程措施和非工程措施,将洪涝灾害损失降低到不影响人类的可持续发展进程,以最低的成本实现最大安全保障这样一个防洪减灾的总体目标。洪涝灾害风险管理是一个连续的、循环的、动态的过程,主要包括建立风险管理目标、风险分析、风险决策、风险处理等几个基本步骤。洪涝灾害风险管理是指人们对可能遇到的洪水风险进行识别、估计和评价,并在此基础上有效地控制和处置洪水风险,以最低的成本实现最大安全保障的决策过程。它是一个连续的、循环的、动态的过程,主要包括建立风险管理目标、风险分析、风险决策、风险处理等几个基本步骤。如图6-3所示。

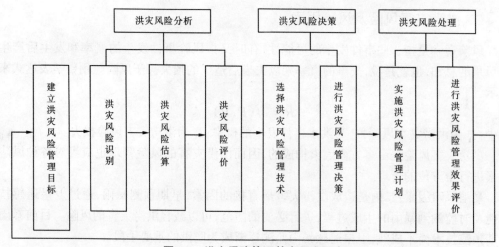

图 6-3　洪灾风险管理基本程序示意

1. 洪涝灾害风险管理的目标

洪涝灾害风险管理的目标是选择最经济和有效的方法(包括防洪工程措施和非工程措施)使洪涝灾害风险降低到可以接受的程度。它可以分为灾害发生前的管理目标、灾害发生时的管理目标和灾害发生后的管理目标。灾前的管理目标是选择最经济和有效的方法来减少或避免损失的发生,将损失发生的可能性和严重性降至最低程度,如进行洪水预报、洪灾警报发布、防洪工程的规划与实施、防洪调度预案等工作;灾害发生时的管理目标是当实际灾情发生后,监测实时雨情、水情和工情信息,确定最合理有效的调度方案,并组织好抢险与避难转移,尽可能减少直接经济损失和间接经济损失;灾害发生后的管理目标主要是通过各种方法尽快使灾区恢复重建,搞好灾后救援和卫生防疫工作,使灾民快速恢复生产和生活,修复加固水毁工程,为下一次的洪涝灾害管理做好准备工作。

2. 洪涝灾害风险分析

洪涝灾害风险分析主要包括风险识别、风险估算和风险评价。

风险识别主要是识别洪水本身的风险及其他影响洪涝灾害的主要风险因素,详细内容前面已经叙述。

风险估算一般是通过对区域洪水成因、洪水特性(包括洪水概率、流量、水位等)、水利工程状况进行分析,首先分析洪水频率,然后采用地貌学法、历史洪水调查法、水文学方法、水力学模型试验或数值模拟计算等方法,确定区域内不同地区的洪水及洪水淹没特性参数(包括淹没范围、淹没水深及水深分布、泥沙冲淤分布、淹没历时、流速等);再对区域内的社会经济状况(人口、资产等)分布和抗灾能力进行分析,得出不同高程下的主要资产类型和资产价值,再结合由经验或调查取得的这些资产在不同淹没水深下的洪灾损失率信息,估算出区域在不同频率洪水下的洪水灾害直接经济损失和间接经济损失,并利用频率曲线法、实际典型年法或保险费法估算期望损失。整个风险估算的过程可以归纳为图6-4。

风险评价主要是根据洪水风险估算的结果,评价洪水风险的大小。风险评价可以从技术、经济、社会、政治、环境、生态等多角度进行,而且不同的价值观持有着不同的评价。

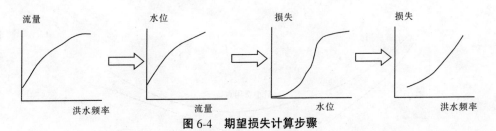

图6-4 期望损失计算步骤

从洪水本身的特性来讲,依据流速、淹没水深和淹没历时等参数,将滩地、分蓄洪区或受洪水影响范围划分为重灾区、轻灾区、安全区等区域,即对研究区域进行洪水风险区划,绘制洪水风险图是风险评价的主要内容。如图6-5所示。

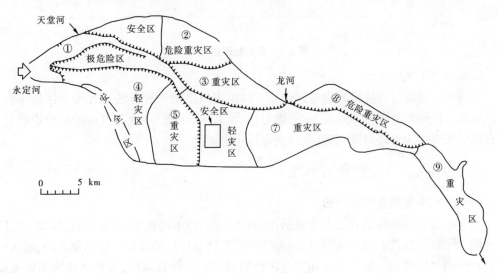

图6-5 永定河洪水风险图

从经济角度来讲,风险评价主要包括评价洪灾期望损失(或多年平均洪灾损失)的大小、洪灾损失占国内生产总值的比重、防洪工程设施的防洪效益等内容。以防洪工程的防洪效益为例,防洪工程建设是否经济可行,可以归结为在洪灾风险损失和实施防洪工程建设的费用之间找到平衡点。一方面可以估计大洪水造成的损失(图6-6中的S),另一方面,可以计算实施防洪管理所需的费用(图6-6中的I)。总费用Q等于投资I加上损失现值PV。当Q曲线取最小值时,就可以说该防洪工程在经济上是最优的,防洪工程经济效益最大。

从社会政治角度来讲,洪水是否造成社会动荡,是否造成大量人口的迁移及死伤,都是评价洪水风险大小的内容。从生态环境角度来讲,防洪工程设施的建设是否破坏生态环境,洪灾是否影响社会的可持续发展等也是评价洪水风险大小的内容。从我国的实际情况来看,由于我国社会的发展,洪水灾害造成的人员死伤越来越少,造成社会动荡的可能性也非常小,所以洪水风险评价从技术(洪水本身的特性)和经济两方面进行评价的居多。另外,从社会发展及人们对生活质量要求的提高方面来看,在评价过程中,对洪水风险的环境、生态等因素的考虑应该会越来越多。

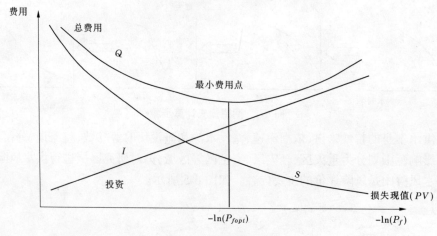

图 6-6　费用概率曲线

3.洪涝灾害风险决策

洪涝灾害风险管理决策是指通过选择对付洪灾风险的一种方法或几种方法的组合，在洪涝灾害风险经济评价的基础上，考虑对社会、政治、生态、环境等方面的综合影响后，选择洪涝灾害风险管理对策，实施洪涝灾害风险决策。

四、洪涝灾害风险管理的步骤

(一)洪涝灾害风险管理对策

对付洪涝灾害风险的方法主要包括：①自留风险，由本地区承担洪涝灾害风险。②降低风险，采取应急措施，减少或消除一些风险因素，使总体风险降低。③回避风险，将人口和资产由高风险区域向低风险区和安全区疏散转移。④转移风险，如洪涝灾害可能威胁到重点保护区域时，主动将灾害转移到其他非重点保护区域，使总体灾害损失减少。⑤分担风险，采取保险或补偿等方式，由更大范围分担局部受灾区域的风险。管理方案可以是上述决策中的一种或多种组合。

1.风险自留

有大洪水并不一定造成大灾害，例如大洪水发生在人烟稀少的地区时。所以，当洪水影响到人口很少，经济总价值也很少的地区时，可以考虑采用风险自留的方法，就地消化洪灾风险。

2.回避风险

风险回避是指考虑到风险事故存在和发生的可能性较大时，主动放弃或改变某项可能引起风险损失的活动，以避免产生风险损失的一种控制风险的方法。回避风险实质是减少或消除风险区内的承载体，是从根源上消除风险的一种方法。其他的方法都是减少或转移风险。

对洪涝灾害，回避风险就是指将经常受到洪涝灾害威胁的地区内的人口和资产从风险区内搬出。对我国来说，大江大河堤防之间的行洪滩地和生产民垸，是最经常受洪水淹没的区域，属于洪水风险较大的区域，同时也是行洪河道的组成部分。这类地区，理论上不应存在滩地和生产民垸,是属于回避风险的区域。但由于我国地少人多,历史上已经形成了大量的滩地和生产民垸,约有 66.67 万 hm²,并拥有大量的人口和资产。因此,这类地区不可能立即全部拆除,应从长计议。现行情况下该区域内的土地开发利用应该严格服从防洪的需要,并应尽可能减少固定居住人口,严格控制有碍河道行洪的各类建筑。

3. 降低洪灾损失

风险自留和风险回避两种方法的适用范围十分有限,同时风险回避的方法在我国目前情况下也不可能完全实施,因此,采取一定的防洪工程措施和非工程措施,减少洪涝灾害的发生的频率和洪涝灾害损失是目前情况下最适合我国国情的对付洪涝灾害风险的方法。常见的工程措施包括有修建堤防、整治河道、修建水库大坝、堤防加高培厚、修建避险道路、避水庄台等,非工程措施包括洪水预警、洪水预报、加强河湖水域管理、健全防汛调度、抢险救援(设计好避难路线、做好抢险避难的宣传工作、灾区恢复重建等)、加强风险区管理和安全建设(适当限制高风险区内的经济发展、在风险区内建立防水房屋、雨洪资源化利用等)等。

4. 风险分担

洪水保险的目的是为了将部分地区所受的洪涝灾害经济损失比较合理的分摊到广大受保护地区内,也就是说用众多投保户积累起来的保险费去补偿保险户受灾的损失。实行洪水保险,可以使保险户受灾后及时得到经济补偿,快速恢复生产;可以减少政府救济费,减轻国家财政负担;可以限制洪泛区的发展,减少洪涝灾害损失。

再保险是指保险人承保后,将承受风险的一部分或全部给其他保险人,以便分散责任,保证业务运行的稳定性。由于洪涝灾害发生的频率高、范围广、损失重,所以商业保险公司在承保洪涝灾害风险时,往往思前想后,犹豫不决,担心承保洪水保险影响企业的正常运行。而洪水再保险可以将许多保险人的承保力量集合起来,加强了抗拒洪涝风险的能力。因此,洪水再保险不论对原保险人、再保险人、被保险人和国家来讲,都是十分有益的事情。

美国是世界上较早进行洪水保险的国家,60 多年来,美国一直致力于大规模的防洪减灾工作。早在 1956 年美国国会就通过了《联邦洪水保险法》,创设了联邦洪水保险制度。1968 年,美国国会建立了国家洪水保险计划(NFIP),认为洪水保险是理想的救灾措施。为了实施 NFIP 和防洪救灾,联邦救灾总署组织绘制了洪水保险图(FIRM)。为了鼓励社区参加 NFIP 以及个人投保,联邦政府对于在联邦救灾总署的洪水保险图公布以前兴建的建筑物,给予保险费补贴,否则按照保险计算的保险费收费(目前享受保险费补贴的占投保客户的 41%)。联邦救灾总署在洪水保险图制定时将行洪河道划分为行洪区(Flood Way)和非行洪区(Floodplain),规定在行洪区内不准修建任何建筑物,在非行洪区可以修建建筑物,但兴建新建筑物必须购买洪水保险,具体控制措施是规定业主为修建建筑物向银行贷款时必须先购买洪水保险。行洪区范围的确定标准是:在非行洪区修建建筑物后,河道行洪水位最大抬高不超过 1 英尺(0.305 m)。一般规定在 100 年一遇洪水淹没区以内必须购买洪水保险,高于 100 年一遇洪水区域不要求必须购买,保险费相应降低[17]。

美国推行洪水保险的进程并非一帆风顺,从 1956 年通过《联邦洪水保险法》开始,联邦洪水保险法规和制度不断在进行调整。1968 年国会通过了《全国洪水保险法》,1969 年依法制定出《国家洪水保险计划》。1973 年 12 月,美国国会通过《洪水灾害防御法》进一步将洪水保险计划由自愿性改为强制性。随后管理体制根据实践中出现的问题不断改进完善。可以说是积累了 40 年的经验和教训,才形成了一套行之有效的法规与管理办法。我国自 1980 年恢复保险业务起,也进行了洪水保险的研究和试点。对于洪水保险在我国推广的意义与必要性,以及适合我国国情的洪水保险的推广模式,目前仍处于朦胧的认识阶段,仍有很多问题需要研究。

5. 风险转移

洪涝灾害可能威胁到重点保护区域时,主动将灾害转移到其他非重点保护区域,使总体灾害损失减少。如为保护首都安全而专门开辟了小清河分洪区。风险转移是一种牺牲局部保全大局的措施,但考虑到公平性原则,受保护区域应该给予牺牲区一定的经济补偿。

(二)洪涝灾害风险管理决策

洪涝灾害风险管理决策是指根据洪涝灾害风险管理的目标和宗旨,在科学的洪涝灾害风险分析的基础上,合理选择风险管理工具和对策,并对所选择的风险处理方案进行风险、费用、效益分析,由决策者根据各种方案的评价结果作出决策。洪涝灾害风险管理决策以防洪减灾措施为研究对象,应选择费用最低、风险最小、安全保障最大的风险处理方案。由于洪水发生的不确定性及重复性,所以洪涝灾害风险决策属于重复性风险型决策。对于重复性风险型决策来说,决策后果的期望值被公认为是选择方案的最合理的判断标准。按期望值最大或最小来作为选择决策方案的判定标准,称为期望值决策法。

一般来说,风险决策程序应该包括:

(1)确定风险管理目标。以最小的成本获得最大的安全保障是风险管理的总目标,也是风险决策应遵循的基本准则。

(2)拟定风险处理方案。根据洪水风险区内的洪水状况(流量、流速、水位、淹没历时、泥沙冲淤等特征值)和资产分布状况,选择合适的工程措施和非工程措施,使二者有机结合,拟定出相应的洪涝灾害风险对策和风险处理方案,并计算出相应的费用、风险和效益。

(3)选择最佳的风险处理方案和风险对策。根据决策的目标和原则,选出对整个系统来说最为优化的方案和对策。

风险决策方法分为单目标风险决策和多目标风险决策两种。常用的单目标风险决策方法有期望损益分析决策法、边际分析决策法、期望效用决策法、贝叶斯风险决策法、期望—方差两目标法、极大化希望水平法等。常用的多目标风险决策法有多属性期望效用理论、概率均衡法、分区多目标风险决策方法等。

(三)洪涝灾害风险处理

洪灾风险处理是根据决策的方案实施风险管理计划,并对计划实施后的效果进行评价。修改、建立新的洪灾风险管理目标,进入下一次的洪灾风险管理过程。

实施风险管理计划,需要有先进的科技手段的大力支持,法律手段的强制实施,经济手段的补偿诱导,行政手段的推动落实。洪涝灾害风险管理的本质,就是综合利用法律、行政、经济、技术、教育与工程手段,合理调整客观存在于人与自然之间及人与人之间基于洪水风险的利害关系[5]。

对洪涝灾害风险管理实施后的效果进行评价,也可以从技术、经济及社会环境生态等多方面进行。评价时既可以有定量的评价,也可以有定性的评价。

洪涝灾害风险管理是一个动态循环的过程,在一次风险管理结束后,需要根据对风险管理效果评价的结果,继续或修改、更正风险管理目标或风险处理方案及风险对策,进入又一次的风险管理过程中去。

第二节　黄河下游洪水灾害、防洪体系与防洪效益

一、黄河洪水

黄河是我国第二条大河,干流全长 5 464 km,流域面积 75.2 万 km²,上、中游流域面积 73.0 万 km²,占全流域面积 97%,绝大部分是高原、山地。下游河道全长 786 km,河道比降平缓,大部分河段靠堤防约束,由于河道内泥沙淤积,目前河床平均高程约高出两岸地面 3~5 m,是举世闻名的"地上悬河"。

黄河流域成灾洪水主要由暴雨和冰凌形成。暴雨洪水发生在 7~10 月,凌汛是指每年春季上游宁蒙河段,下游山东河段发生的洪水。黄河暴雨洪水来源有三个地区:①兰州以上地区;②中游托克托至三门峡区间;③三门峡至花园口区间。兰州以上洪水,雨区范围大,持续时间长,强度不大,洪水涨落平缓,主要威胁兰州市和宁蒙河套地区的安全;中游托克托至三门峡区间的洪水暴雨强度大、历时短,洪水汇流快,河槽调蓄能力小,常常形成陡涨陡落、峰高量小的洪水,同时挟带大量泥沙,是黄河泥沙的主要来源地;三门峡至花园口区间的洪水来势猛、汇流快,也易形成陡涨陡落、峰高量小的洪水。形成黄河下游大洪水主要有两种类型:以三门峡以上来水为主形成的洪水,被称为"上大型"洪水;三门峡至花园口区间来水为主形成的洪水,被称为"下大型"洪水。

黄河下游洪水的主要特点是:①洪水峰高量大,历时短;②洪水含沙量大,河道淤积严重;③水沙异源。黄河泥沙 91.3% 来自中游地区,而 58% 的径流来自兰州以上,这样,常常造成中游洪水含沙量大,下游河道淤积,洪水位抬高,加重了下游防洪压力;④洪水年际变化大,主要来自于三门峡至花园口区间的洪水,年最大洪峰流量变差系数超过 0.9。

二、洪水灾害

黄河历来被看成是一条灾难性的河流。20 世纪,黄河流域发生了几次大洪水,如 1933 年黄河中游洪水,1949 年黄河中下游洪水,1954 年黄河三门峡至花园口区间和渭河洪水,1958 年黄河中下游洪水,1964 年 7 月黄河上游洪水,1967 年黄河中上游洪水,1977 年延河、北洛河、泾河洪水,1981 年黄河上游洪水,1982 年黄河三门峡至花园口区间洪水等。

1958 年 7 月中旬,黄河中、下游发生特大洪水,干流花园口站洪峰流量 22 300 m³/s (相当于 60 年一遇)。洪水主要来自三门峡至花园口区间。洪水来势猛,峰高量大,下游东坝头以下约 400 km 长河段洪水位超过保证水位,其中高村站超过保证水位 0.38 m,孙

口站超过保证水位 0.38 m,洛口站超过保证水位 0.38 m。超过保证水位的历时达 35～
40 h。这次洪水对黄河下游防洪造成严重威胁,曾出现不同程度险情,横贯黄河的京广铁
路桥被洪水冲跨两孔,交通中断 14 d。东平湖最高水位达 44.81 m,个别堤段洪水位超过
湖堤顶 0.1 m,经大力抢险才保住大堤安全,使洪水灾害主要限制在黄河大堤之间的滩
区。据不完全统计,山东、河南两省的黄河滩区和东平湖湖区,淹没村庄1 708个,受灾
74.08 万人,淹没耕地 20.3 万 hm²,倒塌房屋 30 万间。三花区间有关各县也遭受不同程
度的水灾。从该场洪水的特性来说,是对黄河下游防洪威胁比较严重的一种类型,首先洪
水主要来自三花区间,预报的预见期短;二是暴雨的时空分布有利于形成峰高量大的洪
水;三是洪水来源地区含沙量较少,沿程冲刷,容易出现险情。

1982 年 7 月 29 日～8 月 4 日,在三门峡至花园口区间、海河流域漳卫河上游和淮河
沙颍河上游等广大地区,普降暴雨和大暴雨。暴雨中心在三花区间伊河的石碣、卫河支流
安阳河上游石板岩和沙颍河上游的排路。黄河干流小浪底、花园口、支流伊洛河黑石关、
沁河武陟均于 8 月 2 日出现最大洪峰,洪水过程为双峰型。花园口站洪峰流量15 300
m³/s持续 3 h,15 000 m³/s以上流量持续 12 h,形成峰低量大的肥胖型过程,总历时9 d。
花园口以下至高村各断面,洪水大于10 000 m³/s流量的持续时间长达 44～54 h。水位
高,河滩滩唇至大堤堤根横比降大,造成生产堤决口 275 处(其中有部分是人工破堤),口
门总宽约46 km,滞洪量约 35 亿 m³,淹滩区村庄1 303个,受灾人口 93.27 万人,洪水浸滩
面积约 17.3 万 hm²,占滩地面积约67%,倒塌房屋 40.08 万间。伊洛河夹滩地区,本年洪
水流量大于3 000 m³/s 时,就开始漫滩倒灌,伊河南、北堤 7 月 30 日下午决口 56 处之多,
夹滩区 26.69 万人受灾,淹没耕地 1.2 万 hm²,房屋倒塌 6.6 万间。沁河下游灾情也较
重。卫河支流安阳河两岸漫溢决口,安阳市区进水受灾,京广铁路桥面漫水,中断行车 20 h。

黄河全流域在 1950～1990 年的 41 年中,累计受灾面积1 681 万 hm²,成灾面积 947
万 hm²;受灾人口8 065万,倒塌房屋 445 万间,冲失或减产粮食 80.5 亿 kg,淹死牲畜
68.7 万头。此外,大量水利工程遭破坏,小(一)型以上水库垮坝 185 座,冲毁公路 2.64
万 km,冲毁铁路中断行车3 012 h。全流域 41 年来洪灾造成的直接经济损失达 164 亿元
(当年价),折合 1990 年不变价 315 亿元[18](图 6-7)。

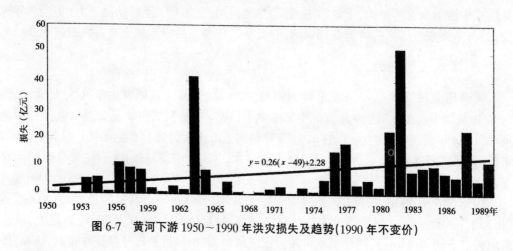

图 6-7　黄河下游 1950～1990 年洪灾损失及趋势(1990 年不变价)

从图 6-7 中可以看出,黄河下游洪灾损失呈每年增加的趋势,1950~1990 年间,每年增加约 2.5 亿元。

三、黄河下游防洪体系

黄河下游的水患历来为世人所瞩目。新中国成立以来,在全流域开展了大规模的治水工程建设,黄河下游基本形成了"上拦下排,两岸分滞"的防洪工程体系。黄河下游两岸现有临黄大堤全长约 1 400 km,花园口、高村、孙口断面和艾山以下河段堤防的设防流量分别为 22 000 m³/s、20 000 m³/s、17 500 m³/s、11 000 m³/s。河道整治工程的建设,使陶城埠以下河段已形成控制较好的弯曲性河道,高村至陶城埠过渡性河段的河势也基本得到控制,高村以上游荡性河段布设了一部分控导护滩工程[12,19,20]。

三门峡水库基本上控制了黄河的"上大洪水",对保障下游安全有重大作用。三门峡水库与陆浑水库、故县水库联合运用,还可以将"下大洪水"花园口 26 000 m³/s 的洪峰流量削减到 22 000 m³/s,下游堤防工程设防标准接近 60 年一遇。小浪底水库与三门峡、陆浑、故县三个水库联合运用,可以把花园口百年一遇的洪水的洪峰流量 29 300 m³/s 削减到 14 000 m³/s 左右,并且不再使用东平湖分洪。可以把千年一遇的洪水的洪峰流量 42 300 m³/s 削减为 21 000 m³/s,低于大堤设防标准 22 000 m³/s。

为了防御特大洪水和解决下游河道排洪能力上大下小的矛盾,曾先后建成了北金堤滞洪区和东平湖滞洪水库,南岸(垦利)展宽工程和北岸(齐河)展宽工程。

第三节 黄河下游洪水风险分析

黄河洪水峰高量大,历时短;洪水含沙量大,河道淤积严重;水沙异源,黄河泥沙 91.3% 来自中游地区,而 58% 的径流来自兰州以上,这样,常常造成中游洪水含沙量大,下游河道淤积,洪水位抬高,加重了下游防洪压力。另外,下游河道总面积为 4 647 km²,其中滩区面积 3 953 km²,涉及河南、山东两省 15 个地(市)42 个县(区),滩区内有村庄 2 193 个,居住着 169 万人,耕地 24.94 万 hm²。因此,黄河下游的洪水风险分析充分考虑到黄河洪水的这些特点,按以下步骤进行分析。

一、洪水特性计算

长期以来,有很多学者致力于研究黄河下游洪水的特性,并取得了许多显著的成果,其中主要有采用物理模型和数学模型两种方法[21~25]。随着计算机运算速度和计算数学的发展,近年来利用数学模型来仿真模拟黄河下游洪水的实例越来越多。中国水利水电科学研究院防洪减灾研究所自"八五"攻关开始,先后研究开发了黄河下游花园口至孙口河段河道和滩区水沙仿真模型、孙口至艾山河段水沙运动模型、东平湖分滞洪区水流模型、北金堤滞洪区水流模型、黄河下游山东段堤防溃决洪水仿真模型,研究范围几乎包括黄河整个下游地区。

1.河道及滩区

黄河下游从花园口至高村河段为游荡性河段,高村至孙口河段为游荡性向弯曲性过渡的河段,孙口至利津为弯曲性河段。不同类型的河段特性不太相同,为了在模型中反映各个河段的特征,建立了不同模型,并针对历史不同典型洪水进行了验证模拟。黄河下游花园口至孙口河段的二维非恒定流水沙运动仿真模型包括三段:花园口至夹河滩、夹河滩至高村、高村至孙口,模型可以描述不同河段的洪水淹没范围、水深分布和最大淹没水深以及泥沙影响范围、泥沙淤积分布和泥沙淤积量。花园口至夹河滩河段,河道全长96 km,总面积842 km²,划分网格637个;夹河滩至高村河段,河道全长193 km,模型总面积1 427 km²,划分网格609个;高村至孙口河段,河道全长130 km,模型总面积671 km²,划分网格627个。模型采用二维不规则网格,利用水位和流量为主要控制变量,并考虑泥沙运动的影响,对1982年、1996年两场典型洪水进行了验证。

孙口至艾山河段全长约60 km,模型大部分网格步长为1 000 m,全计算区域共划分为252个。对该河段惟一一次工程实际应用的1982年洪水进行了验证。

黄河下游山东段堤防溃决洪水仿真模型计算范围上起黄河艾山断面,下至河口清1断面,南以泰山等为界,北至漳卫新河,全部面积约为26 367.7 km²。将整个计算域进行不规则网格剖分后,网格总数为1 893个,黄河河道网格186个。并对1996年8月的实际洪水进行了验证。

根据以上模型,可以得到了不同河段的洪水淹没范围、水深分布和最大淹没水深以及泥沙影响范围、泥沙淤积分布和泥沙淤积量等信息,完成了洪水风险分析的第一步工作。见图6-8和图6-9。这里列举的只是两个例子,关于模型的具体信息可以查阅相关报告,这里不再详述。

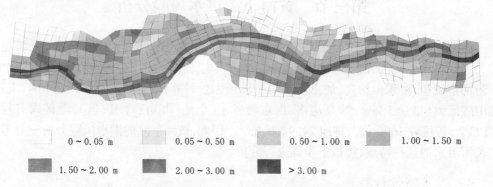

| | 0~0.05 m | | 0.05~0.50 m | | 0.50~1.00 m | | 1.00~1.50 m |
| | 1.50~2.00 m | | 2.00~3.00 m | | >3.00 m |

图6-8 "96·8"洪水花园口至夹河滩河段计算的最大水深分布[23]

2.分蓄洪区

为了防御特大洪水和解决下游河道排洪能力上大下小的矛盾,黄河下游先后建成北金堤滞洪区和东平湖滞洪水库。

东平湖水库位于黄河下游由宽河道变为窄河道的过渡段上。自1855年黄河走现行河道以来,一直与大河连通,形成黄河下游的自然滞洪区。新中国成立以来,该滞洪区曾多次分洪,其中,1958年汛期滞洪削峰作用最为显著。其后,为了防御更大洪水,提高水库削峰蓄水的作用,在原有自然滞洪区的基础上,增建了大量工程,使之成为了能够控制蓄泄的平原水库。湖区面积638 km²,共有约25万人口,3.045万 hm²耕地。根据中国

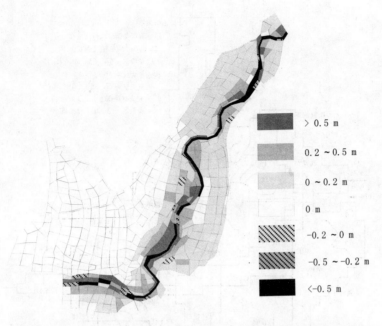

	> 0.5 m
	0.2 ~ 0.5 m
	0 ~ 0.2 m
	0 m
	-0.2 ~ 0 m
	-0.5 ~ -0.2 m
	<-0.5 m

图 6-9 "96·8"洪水计算夹河滩至高村河段第 480 h 泥沙冲淤分布[23]

水利水电科学研究院专家的计算,当黄河发生特大洪水,花园口洪峰流量为22 000m³/s,全湖蓄洪时的洪水风险图见图 6-10。图中将整个湖区分为五种区域,即危险区、深水重灾区、重灾区、轻灾区和安全区。危险区一般是指流速较大,水深较深的区域,可形成很严重的灾害;深水重灾区是指淹没水深在 6 m 以上,淹没时间较长的区域;重灾区是指淹没水深在 3 m 以上的区域;轻灾区是指淹没水深在 3 m 以下的区域;安全区是指地势较高,不受淹的地区。

3.堤防溃决

理论上讲,任何一段堤防都有可能发生溃决。但实际研究中,不可能计算每段堤防溃决后的洪水风险。因此,通常是根据经验、历史溃决情况、堤防质量等因素,选取特定的位置进行溃堤的洪水风险分析计算。

历史上,黄河山东段曾多次泛滥,但由于两岸地貌发生较大变化,新建许多大型水利工程及道路,目前依然很难确定黄河堤防的保护范围及保护范围内的洪水风险。而山东省黄河河道狭窄,设计行洪能力只有10 000 m³/s,近年来河道淤积日益严重,1995 年下游河床淤高 16 cm,而黄河大堤多年未曾加高,两岸的安全标准日益降低。加之,下游河道容易发生冰塞,新中国成立以来已有两次形成冰凌灾害,是属于洪水灾害风险较大的区间。从地貌来看,黄河河床居高临下,下游段成为海河、淮河两流域的分水岭。洪水成灾范围极大,但究其准确区域,则众说不一。黄河下游两岸为我国经济发达地区,人口、财产密集,铁路、公路纵横,堤防一旦溃决,后果将十分严重。

依据设计思路,根据堤防的实际情况,拟选定堤防的南、北两岸的上、中、下游十个不同位置作为典型代表,计算在设计洪水条件下每一位置处堤防溃决后的淹没范围及淹没水深、淹没历时和流速等洪水特征值,结果见表 6-1。综合十个方案的计算结果,得到黄河下游山东段内堤防溃决后的最大淹没范围和淹没水深,见图 6-11。

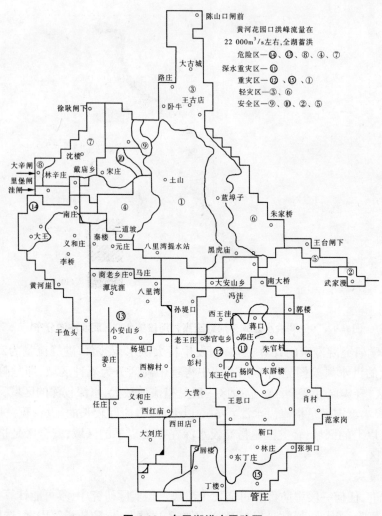

图 6-10　东平湖洪水风险图

表 6-1　　　　　　　　　　黄河下游山东段堤防溃决计算结果

方案名称	方案描述	淹没范围（km²）	涉及地(市)县(区)	洪水演进描述
方案1	北岸陶城铺险工在第8小时(4075号通道)强制溃堤,徒骇河发生设计洪水(恒定流量6 000 m³/s)	8 644	聊城、济南、德州、滨州4个地(市)17个县(区)	洪水先向北行,遇徒骇河后沿徒骇河南堤顺堤行洪,在200小时,由于流速过大,从徒骇河2214号和2216号通道强制溃堤
方案2	北岸陶城铺险工处(4075号通道)在第8小时强制溃堤	4 597	聊城、济南、德州、滨州4个地(市)10个县(区)	洪水先向北行,遇徒骇河后沿徒骇河南堤顺堤行洪,在336小时,洪水从第2437号堤防漫过徒骇河,洪水主要沿徒骇河入海。
方案3	北岸77号通道处在第24小时强制溃堤	3 205	聊城、济南、德州、滨州4个地(市)7个县(区)	洪水先向北行,遇徒骇河后沿徒骇河南堤顺堤行洪,在280小时,洪水从第2437号堤防漫过徒骇河,洪水主要沿徒骇河入海。

方案名称	方案描述	淹没范围 （km²）	涉及地(市)县(区)	洪水演进描述
方案 4	北岸 126 号通道处在第 36 小时强制溃堤	2 415	济南、德州、滨州 3 个地（市）5 个县(区)	洪水先向北行,遇徒骇河后沿徒骇河南堤顺堤行洪,在 221 小时,洪水从第 2437 号堤防漫过徒骇河,在 417 小时,洪水从第 2196 号堤防漫过徒骇河,洪水主要沿徒骇河入海。
方案 5	北岸 283 号通道处在第 48 小时强制溃堤	1 213	济南、滨州 2 个地（市）4 个县(区)	洪水先向北行,遇徒骇河后沿徒骇河南堤顺堤行洪,在 97 小时,洪水从第 2437 号堤防漫过徒骇河,洪水主要沿徒骇河入海
方案 6	北岸 365 号通道处在第 60 小时强制溃堤	1 773	滨州、东营 2 个地（市）4 个县(区)	洪水先向北行,遇徒骇河后沿徒骇河南堤顺堤行洪,在 120 小时,洪水漫过徒骇河,洪水主要沿徒骇河入海
方案 7	南岸 147 号通道处在第 36 小时强制溃堤	4 562	济南、淄博、东营、滨州、潍坊 5 个地(市)8 个县(区)	洪水先向南行,遇小清河后沿小清河两岸行洪,洪水主要沿小清河两岸漫流入海
方案 8	南岸 294 号通道处在第 54 小时强制溃堤	3 648	淄博、东营、滨州、潍坊 4 个地（市)6 个县(区)	洪水先向南行,遇小清河后沿小清河两岸行洪,洪水主要沿小清河两岸漫流入海
方案 9	南岸 397 号通道处在第 60 小时强制溃堤	2 994	淄博、东营、滨州、潍坊 4 个地（市)6 个县(区)	洪水先向南行,遇小清河后沿小清河两岸行洪,洪水主要沿小清河两岸漫流入海
方案 10	南岸 492 号通道处在第 72 小时强制溃堤	1 895	东营 1 个地（市)4 个县(区)	洪水先向南行,遇小清河后沿小清河两岸行洪,洪水主要沿小清河两岸漫流入海
北岸合计		10 870	聊城、济南、德州、滨州	洪水主要沿徒骇河两岸漫流入海,洪水波及至马颊河的南岸
南岸合计		5 090	济南、淄博、东营、滨州、潍坊	南岸决口时,洪水主要沿小清河两岸漫流入海

二、受洪水影响区域社会经济情况调查

洪灾损失基本资料的调查一般应在受洪水影响区域内进行。当涉及范围不大时,一般应进行全面调查;当涉及范围很大,难以进行全面调查时,可选择具有代表性的地区作典型调查,然后据以进行扩大计算。

社会经济情况调查主要包括农作物、林业、水产业、畜牧业、工程设施、居民财产、企事业财产、工矿企业及商业停产停业、骨干运输线中断的损失和其他损失。具体内容可参照水利部行业标准 SL206—98《已成防洪工程经济效益分析计算及评价规范》。

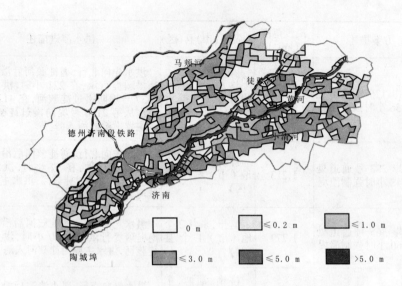

图6-11 黄河下游山东段堤防保护范围内最大可能水深图

三、洪灾损失估算

(一)洪灾损失率

洪灾损失率是财产受洪灾的损失值与灾前财产原有价值之比。洪灾损失率应根据近年实际出现的洪水受淹情况按洪灾损失的种类,分别进行调查、统计、计算分析确定。当洪水淹没范围的地形高差较大时,应分析建立洪灾损失率与淹没水深、淹没历时等主要影响因素的关系,据以确定洪水淹没范围内不同地区的洪灾损失率。表6-2给出的是黄河下游滩区及分滞洪区农作物洪灾损失率与淹没水深、淹没历时的关系。

表6-2　　　　　　　　分类农作物直接损失率与淹没等级的关系[23]

作物		水深等级											
		<0.5m				0.5~1.0m				>1.0m			
		淹没历时(d)											
		1~2	3~4	5~6	>7	1~2	3~4	5~6	>7	1~2	3~4	5~6	>7
秋粮	稻谷	0.41	0.5	0.56	0.7	0.49	0.69	0.75	0.86	0.67	0.84	0.94	1
	玉米	0.47	0.6	0.8	0.8	0.62	0.75	0.9	1	0.78	1	1	1
	大豆	0.53	0.71	0.84	0.97	0.65	0.79	0.97	1	0.8	0.9	1	1
	薯类	0.62	0.76	0.89	0.92	0.88	0.92	1	1	1	1	1	1
	其他	0.57	0.72	0.84	0.97	0.7	0.83	1	1	0.91	1	1	1
经济作物	棉花	0.55	0.68	0.76	0.9	0.69	0.85	0.97	1	0.84	1	1	1
	油料	0.5	0.6	0.72	0.9	0.65	0.81	0.95	1	0.8	1	1	1

(二)洪灾经济损失

直接经济损失:先分类进行各类洪灾经济损失的计算,再总和各类洪灾直接经济损

失,得到总的直接经济损失。见表6-3。如对农作物直接洪灾损失计算可采用下式:

$$L_p = \sum_{i=1}^{n} \sum_{j=1}^{m} \eta_{ij} W_{ij}$$

式中:L_p 为洪灾农作物直接经济损失;η_{ij} 为第 j 种淹没水深下,第 i 种作物洪灾损失率;W_{ij} 为第 j 种淹没水深范围内,第 i 类作物正常年产值;n 为农作物种类数;m 为淹没水深等级数。

间接经济损失:是指因洪灾造成的直接损失给洪灾区内外带来影响而间接造成的经济损失。计算间接经济损失通常有统计计算法、经济系数法。统计计算法是根据受灾区及影响区的调查统计资料,通过数理统计和时序分析来计算。受资料的限制,该方法使用起来较为困难,通常应用较多的是经验系数法。经验系数法即假定洪灾给不同部门所造成的间接经济损失与所造成的直接经济损失成一定的比例关系——洪灾间接损失系数。该系数可根据国内外已有的资料对比分析确定。需要注意的是随着我国整体经济实力的增强,特别是受洪水影响范围内的国民经济水平的提高,该系数有逐步增大的趋势。计算结果如表6-4。

表 6-3　　　孙口至艾山河段滩区各级洪水直接受灾情况(1992 年基准)

洪水类型 (m³/s)	人口		房屋		个人财产		国家集体财产		农作物	
	受灾人数(万人)	受灾率(%)	损失值(万元)	损失率(%)	损失值(万元)	损失率(%)	损失值(万元)	损失率(%)	损失值(万元)	损失率(%)
"58 型" 22 000	34.83	86.07	13 590.0	22.15	19 376.0	16.33	1 557.0	13.92	7 177.0	83.88
"76 型" 9 200	25.41	62.8	2 593.0	4.23	3 837.0	3.24	292.0	2.61	6 194.0	72.39
"82 型" 15 300	32.95	81.42	5 439.0	8.86	8 104.0	6.83	678.0	6.06	6 140.0	71.76
"82 型" 30 000	34.83	86.07	20 970.0	34.18	30 047.0	25.33	2 392.0	21.38	7 308.0	85.42

表 6-4　　　孙口至艾山河段滩区各级洪水财产间接损失情况(1992 年基准)　　(单位:万元)

洪水类型 (m³/s)	房屋损失		个人财产损失		国家集体财产损失		农作物损失		合计	
	间接	总计	间接	总计	间接	总计	间接	总计	间接	总计
"58 型" 22 000	2 038.5	15 628.5	1 937.6	21 313.6	311.4	1 868.4	717.7	8 612.4	5 005.2	47 422.9
"76 型" 9 200	389.0	2 982.0	383.7	4 220.7	58.4	350.4	619.4	7 432.8	1 450.5	14 985.9
"82 型" 15 300	815.9	6 254.9	810.4	8 914.4	135.6	813.6	614.0	7 368.0	2 375.9	23 350.9
"82 型" 30 000	3 145.5	24 115.5	3 004.7	33 051.7	478.4	2 870.4	730.8	8 769.6	7 359.4	68 807.2

(三)期望损失

1.计算方法

计算期望损失主要有 3 种方法,即频率曲线法、实际典型年系列法和保险费法。

(1)频率曲线法。频率曲线法首先根据不同频率的洪水,分别求得采取某项防洪设施前的洪灾经济损失和多年平均经济损失,再分别求得采取该项防洪措施后的洪灾经济损失和多年平均经济损失,两个多年平均洪灾经济损失之差即为该项防洪设施的多年平均经济效益。

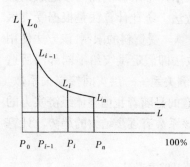

采取某项防洪工程设施前(或后)的多年平均经济损失可用下式计算:

$$\overline{L} = \sum_{i=1}^{n} \Delta P_i \overline{L_i}$$

式中:n 为年份(序号年);$\Delta P_i = P_i - P_{i-1}$;$\overline{L_i} = (L_i - L_{i-1})/2$;$L_0$,$L_{i-1}$,$L_i$,$L_n$ 分别为采取某项防洪工程设施前(或后)不同频率洪水造成的洪灾经济损失;P_{i-1},P_i、P_n 为不同频率洪水。

(2)实际典型年系列法。选取一段洪水灾害资料比较完全的实际年系列,逐年计算洪灾经济损失,取其平均值作为多年平均洪灾经济损失。

$$\overline{L} = \frac{\sum_{i=1}^{n} L_i}{n}$$

式中:$\overline{L}$ 为多年平均洪灾损失;L_i 为第 i 年洪灾损失;n 为年份。

(3)保险费法。为补偿洪水灾害损失,国家每年从财政预算中取一定支出充作扩大保险基金。遇洪灾时供防洪保险赔偿洪灾损失。在兴建防洪工程后,提高了防洪标准,增强了防洪能力,洪灾减轻,损失减少,为此,则每年保险赔偿相应减少,所需财政支出充作保险基金的数额也减少。所减少的部分即为该项防洪工程平均防洪效益。

2.实例

表 6-5、表 6-6、表 6-7 给出的是孙口至艾山河段滩区、东平湖水库及北金堤滞洪区的洪灾期望损失计算结果,采用的是频率曲线法。其中的总损失及直接经济损失数据来源于《黄河滩区及分滞洪区风险分析和减灾对策》一书。

表 6-5　　　　　　　　　　孙口至艾山河段滩区洪灾损失及洪灾期望损失

洪水类型 (m^3/s)	洪水频率(%)	直接经济损失(万元)	总损失(万元)	期望损失(万元)
"58 型"22 000	2.0	42 417.7	47 422.9	
"76 型"9 200	20.0	13 535.4	14 985.9	1 488.05
"82 型"15 300	10.0	20 975	23 350.9	
"82 型"30 000	1.0	61 447.8	68 807.2	

孙口至艾山河段滩区面积占整个下游滩区面积的 1/3 左右,假设其余 2/3 滩地的淹没范围及社会经济状况与这一段大体一致,所以整个滩区的期望损失约为 0.45 亿元

（1992年价）。

表 6-6　　　　　　　　东平湖水库洪灾损失及洪灾期望损失

洪水类型（m³/s）	洪水频率（%）	间接经济损失（万元）	总损失（万元）	期望损失（万元）
花园口 22 000	2.0	6 545	57 077	
花园口 20 000	5.0	6 290	54 745	26 785
花园口 17 000	8.0	5 368	46 260	
1982 年洪水	10.0	461	3 507	

表 6-7　　　　　　　　北金堤滞洪区洪灾损失及洪灾期望损失

洪量（亿 m³）	水频率（%）	间接经济损失（万元）	总损失（万元）	期望损失（万元）
渠村分洪量 27	0.002 5	59 333	498 478	
渠村分洪量 20	0.003 3	51 086	428 480	
渠村分洪量 15	0.005	44 798	374 833	5 771.1
张庄倒灌洪量 5	0.33	9 337	74 215	
张庄倒灌洪量 2		3 962	30 800	

　　将以上三个期望损失折算为2000年价格水平分别为:0.71亿元、4.22亿元、0.91亿元。

　　另外,黄河下游存在堤防溃决的风险,根据《黄河治理开发规划纲要》中的数据,黄河下游不同河段堤防决溢可能影响范围见表6-8。假设各段溃口几率相同,则可以以南、北岸各段一次决溢可能成灾范围的平均值作为平均淹没面积,为8 936 km²。据《黄河流域水旱灾害》载,1982年三门峡至花园口区间发生暴雨洪水,淹没耕地15.3万 hm²,直接经济损失达18.2亿元,考虑间接经济损失约占直接经济损失的20%,则总经济损失为21.84亿元,则每公顷淹没损失为1.44万元,折算到2000年价为4.2万元。考虑到黄河下游现行堤防标准约为60年一遇,则堤防溃决的年均损失约为6.26亿元。

表 6-8　　　　　　　黄河下游不同河段堤防决溢可能影响范围估计表

岸别	决溢堤段	洪泛区范围		一次决溢可能成灾范围			涉及主要工矿、城镇、交通
		面积（km²）	人口（万人）	面积（km²）	耕地（万 hm²）	人口（万人）	
北岸	沁河口—原阳	33 000	1 640	15 000	100	750	新乡,濮阳,京广、津浦、新菏铁路,中原油田
	原阳—陶城铺	8 000～18 500	400～930	5 600～9 250	37.3～61.7	280～465	濮阳,津浦、新菏、京九铁路,中原油田、胜利油田
	陶城铺—津浦铁桥	10 500	530	7 350	49	370	津浦铁路、胜利油田
	津浦铁桥以下	6 700	270	4 690	31.3	190	滨州、胜利油田
南岸	郑州—东坝头	40 000	2 340	15 000	100	878	郑州(部分)、开封,商丘,陇海、京九铁路
	东坝头—东平湖	20 000	1 000	8 400	56	420	徐州,菏泽,济宁,津浦、新菏、京九铁路
	济南以下	6 760	270	4 690	31.3	187	济南(部分)、东营、胜利油田

所以,黄河下游的年均期望损失为 12.1 亿元(2000 年价)。见表 6-9。

另据《中国防洪丛书·黄河卷》载,1950～1987 年间,黄河下游淹没损失共计 488.04 亿元,平均每年淹没损失为 12.8 亿元(当年价),与前面计算的年均洪灾损失相差不大。

表 6-9 　　　　　　　　　　　　黄河下游的年均期望损失

项目	滩区	东平湖水库	北金堤滞洪区	堤防溃决	合计
期望损失(亿元)	0.71	4.22	0.91	6.26	12.1

四、费用分析

1.1949～1987 年黄河下游防洪工程投入

1949 年新中国成立以后,黄河下游防洪工程建设主要由国家投资和群众投劳完成。据《中国江河防洪丛书·黄河卷》中载,1950～1987 年,黄河下游防洪工程的资金投入为 29.99 亿元,各项防洪工程投资见表 6-10。沿河群众共投入劳动工日 4.75 亿个,共折资 6.52 亿元。

表 6-10 　　　　　　　　黄河下游 1950 年至 1987 年各项防洪工程投资

项目	静态投资 (万元)	在总投资 中的比例 (%)	项目	静态投资 (万元)	在总投资 中的比例 (%)
1. 大堤培修加固	41 579	13.86	11. 南北展宽工程	14 913	4.97
2. 险工加高改建	9 606	3.20	12. 修防设备购置	6 115	2.04
3. 河道整治	6 561	2.19	13. 通信工程	3 738	1.25
4. 防"滚河"工程	582	0.19	14. 水文测验、设站	2 733	0.91
5. 放淤固堤	22 944	7.65	15. 其他防洪工程	23 150	7.72
6. 滩区建设	3 468	1.16	16. 防洪岁修经费	74 889	24.97
7. 运石窄轨铁路	6 273	2.09	17. 管理人员经费	31 681	10.56
8. 防汛公路	1 255	0.42	18. 其他经费	28 798	9.60
9. 东平湖水库改建	7 556	2.52			
10. 北金堤滞洪区	14 057	4.69	合计	299 898	100.00

注:资料来源:《中国防洪丛书·黄河卷》。

从上表中可以看出,防洪岁修经费、大堤培修加固及管理人员费用在总投资中占前三位,这三项总和占到总投资的 49.4%。堤防工程(包括大堤培修加固、防洪岁修)占 38.83%,河道整治工程(包括险工加高改建、河道整治、放淤固堤、滩区建设)占 14.20%,分滞洪工程(包括东平湖水库改建、北金堤滞洪区、南北展宽工程)占 12.18%。三项工程合计占总投资的 65.21%。

考虑投劳折算及三门峡水库修建,1949～1987 年间总静态投资为 43.95 亿元,年均静态投资为 1.16 亿元(当年价)。

2.1989～2000 年黄河下游防洪工程投入

据多年《中国水利统计年鉴》资料,黄河下游防洪工程自 1989～2000 年的投入见表 6-11。

表 6-11　　　　　　　　黄河下游防洪工程 1989～2000 年的投入

年份	静态投入（万元）	2000 年价（万元）
1989	8 089	14 327.6
1990	15 097	26 317.9
1991	17 625	29 286.9
1992	* 19 820	31 015.6
1993	* 21 655	30 727.2
1994	* 23 154	27 309.5
1995	* 24 422	25 222.5
1996	27 282	26 327.8
1997	45 915	43 952.1
1998	87 818	86 585.8
1999	165 900	168 465.5
2000	218 188	218 188
合计	674 965	727 726.4

注:带 * 号的数据不是实际数据,是由 1989 年、1990 年、1991 年及 1996 年数据按抛物线趋势插值得出。

1989～2000 年黄河下游防洪工程静态总投资为 67.50 亿元,静态年均投资为 5.62 亿元(当年价)。折算到 2000 年价,静态总投资为 72.8 亿元,年均静态投资为 6.06 亿元。

另外,根据《中国江河防洪丛书·黄河卷》记载,三门峡水库在 1960 年 9 月～1964 年 9 月,库区泥沙淤积 42.7 亿 t,黄河下游河道冲刷 23.2 亿 t。若不建三门峡水库,库区为天然河道,根据三门峡水库拦沙期水文泥沙条件估计库区还将冲刷 2.2 亿 t,下游河道淤积 6.6 亿 t,有库与无库相比,水库多淤 44.9 亿 t,黄河下游河道少淤 29.8 亿 t。1964 年 10 月至 1970 年 6 月,随着三门峡水利枢纽改建工程的逐步投入运用,黄河下游河道回淤 21.1 亿 t,大体和水库拦沙期的冲刷量 23.2 亿 t 相抵。因此,在 1960 年 9 月至 1970 年 6 月间,黄河下游河道基本上没有抬高。从而使得第二次大修堤没有得以实施,只进行过小规模的修堤,节省投资 2.18 亿元,此即为三门峡水利枢纽的减淤效益。

黄河三门峡水利枢纽和堤防加高加固工程的修建,在 1949～1987 年间,分别减免了 4 次和 3 次凌汛决口,减免损失分别为 2.63 亿元和 1.72 亿元。

五、洪灾风险评价

1. 洪灾期望损失
根据以上分析,黄河下游年均洪灾损失约为 12.1 亿元(2000 年价)。

2. 防洪经济效益
1989～2000 年间,防洪工程静态总投资为 67.5 亿元,防洪工程年均静态投资为 5.62 亿元。1949～1987 年间,防洪工程静态总投资为 43.95 亿元,防洪工程年均静态投资为 1.16 亿元。所以 1949～2000 年间,防洪工程年均静态投资为 3.39 亿元。

另外,根据以上分析,黄河下游年均洪灾损失约为 12.1 亿元(2000 年价)。所以,黄河下游防洪工程的防洪经济效益与投资比约为 3.6:1。

3.减淤效益

黄河下游三门峡水利枢纽在 1960～1970 年间的减淤效益约为 2.18 亿元。

4.防凌效益

黄河三门峡水利枢纽和堤防加高加固工程的修建,在 1949～1987 年间,分别减免了 4 次和 3 次凌汛决口,减免损失分别为 2.63 亿元和 1.72 亿元。

六、结论

从以上的洪水风险分析可以看出,下游河道仍在继续淤积抬高,悬河形势加剧,水患威胁仍很严重。所以由泥沙、洪水造成的洪水灾害问题仍是黄河的主要问题。

(1)从黄河下游洪灾期望损失的构成可以看出,黄河下游堤防溃决后的风险很大,加上黄河下游堤防质量差,险点隐患多,断面偏小,仍有溃决的可能,所以堤防质量甚为重要。

(2)东平湖水库洪灾期望损失较大,属于洪水风险较为严重的地区,所以东平湖水库建设仍需加强。

(3)滩区范围虽小,但没有堤防保护,受淹几率很大,所以安全建设仍很重要。另外,滩区的洪灾经济损失相对较小主要是由于区域内经济发展水平不是很高,如果滩区内经济大幅发展后,其洪灾期望损失就会加大。所以应注意控制滩区的经济发展速度。

参 考 文 献

1 陈仕亮主编.风险管理.成都:西南财经大学出版社,1994

2 程晓陶.新时期大规模的治水活动迫切需要科学理论的指导———论有中国特色的洪水风险管理.水利发展研究, 2001(10)

3 程晓陶.探求人与自然良性互动的治水模式——二论有中国特色的洪水风险管理.http://www.waterinfo.net.cn

4 何文炯主编.风险管理.沈阳:东北财经大学出版社,1999

5 纪昌明,梅亚东.洪灾风险分析.武汉:湖北科学技术出版社,2002

6 李国英.防洪问题的辨证思考.中国水利,1997(7)

7 李健生主编.中国江河防洪丛书:总论卷.北京:中国水利水电出版社,1999

8 刘树坤,杜一,富曾慈等.全民防洪减灾手册.沈阳:辽宁人民出版社,1993

9 孙祁祥著.保险学.北京:北京大学出版社,1996

10 徐乾清.对未来防洪减灾形势和对策的一些思考.水科学进展,1999(3)

11 杨梅英主编.风险管理与保险管理.北京:北京航空航天大学出版社,1999

12 赵文林主编.黄河泥沙.郑州:黄河水利出版社,1996

13 张志彤.论面向 21 世纪的防洪减灾对策.中国水利,1997(12)

14 Krystian Pilarcayk, Rijkswaterstaat. Road and Hydraulic Engineering Division, Application of probabilistic techniques in flood protection in the Netherlands,2000

15 Chang, Tsang－Jung and Ming－His Hsu, Wei－Hsien Teng, and Chen－Jia Huang. A GIS－Assisted Distributed Watershed Model For Simulating Flooding and Inundation[J]. Journal of the American Water Resources Association, vol.36, No.5, October 2000

16 Lin, Jen－Yang and Shaw L. Yu, and Tsu－Chuan Lee. Managing TAIWAN's Reservoir Watersheds by the Zoning Approach[J]. Journal of the American Water Resources Association, vol.36, No.5, October 2000

17 程晓陶.美国洪水保险体制的沿革与启示.http://www.waterinfo.net.cn

18 黄河流域及西北片水旱灾害编委会,中国水旱灾害系列专著:黄河流域水旱灾害.郑州:黄河水利出版社,1996

19 陈霁巍等."八五"国家重点科技攻关项目"黄河治理与水资源开发利用"系列专著:黄河治理与水资源开发利用(综合卷).郑州:黄河水利出版社,1999

20 胡一三主编.中国江河防洪丛书:黄河卷.北京:中国水利水电出版社,1996

21 黄河水利委员会科技外事局.黄河数学模型发展报告.2001.http://www.yrcc-design.com.cn

22 李娜,杨磊,刘树坤等.黄河下游山东段堤防保护范围研究.灾害学,2001(1)

23 刘树坤,宋玉山,程晓陶等."八五"国家重点科技攻关项目"黄河治理与水资源开发利用"系列专著:黄河滩区及分滞洪区风险分析和减灾对策.郑州:黄河水利出版社,1999

24 谭维炎.计算浅水动力学——有限体积法的应用.北京:清华大学出版社,1998

25 王燕生.工程水文学.北京:水利电力出版社,1992

第七章　黄河下游泥沙灾害与减灾对策

第一节　河流泥沙灾害及其研究现状

近年来,随着减灾活动的深入,由于泥沙而带来的灾害即所谓泥沙灾害已越来越为人们所重视。有的学者提出,凡是致灾因子是泥沙或者由泥沙诱发其他载体,给人类的生存环境和物质文明建设带来危害,给经济带来损失的泥沙事件即为泥沙灾害[1]。有的将泥沙灾害定义为,在自然或人为动力作用下,地表物质侵蚀、输移、沉积过程中,导致环境失稳、危及人身安全、(造成)财产损失的渐近与超临界自然现象❶。尽管不同学者的定义有所差别,但其实质内容都包括两点:①灾害为泥沙直接或间接引起;②对环境、经济或人身造成损害。

从河流泥沙特性而言,泥沙所处的状态不外乎被侵蚀、运动和堆积三种。因此,可以定义河流泥沙灾害是指因河流泥沙的侵蚀、搬运和淤积而直接或间接引起的危害环境、造成财产损失甚至危及人身安全的泥沙现象。按此可分为侵蚀型泥沙灾害、搬运型泥沙灾害和堆积型泥沙灾害,如图 7-1 所示。泥沙的直接灾害如河道冲刷下切、河道淤积抬高等,间接灾害如由于泥沙冲淤变化而引起的洪水位抬升、主流摆动并造成滩岸坍塌或工程出险等。黄河中、下游堆积型灾害较为严重,由于水库和河道的泥沙淤积,河道床面抬高,水库的调节能力降低,河流排洪能力降低,造成大洪大灾,小洪水亦可引发大害。

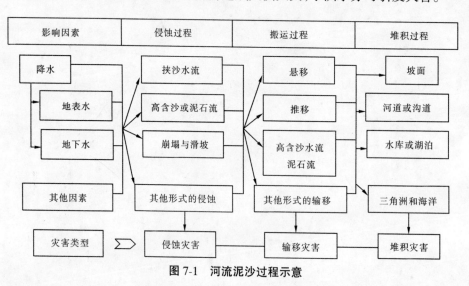

图 7-1　河流泥沙过程示意

人为因素的影响也会引起泥沙灾害。自从人类出现以来,为了提高自身的生活水平,

---

❶　金德生等.流域泥沙灾害类型及其划分原则初步研究.2000

扩大生活空间,不断地对大自然进行各种方式的开发,这种开发活动产生和促使了泥沙的侵蚀、搬运和堆积,会加剧泥沙灾害的产生,给人类生活带来影响;另一方面,人类为了防止或减轻泥沙灾害,修建了防灾减灾工程。这种循环体系如图7-2所示。

随着社会的进步和经济的发展,泥沙灾害越来越受到重视,国内外不少科学家和工程师都对此进行了探索。如White(1974)[2]、Blong和Johnson(1974)[3]论述了风暴潮的海岸侵蚀、滑坡等引起的泥沙灾害,芦田和男等(1987)[4]提到了崩塌和泥石流灾害以及河流与水库的泥沙灾害,Schumm(1988)[5]对地貌灾害进行了论述;刘树坤等(1993)[6]提出了江河灾害的概念,并对江河灾害等进行了较为详尽的描述。近年来,倪晋仁等(1999)[7]就江河泥沙灾害进行了系统描述,提出了泥沙灾害的基本概念,并对江河泥沙灾害的研究意义和有关问题进行了论述;师长兴(1999;2000)[8,9]将黄河下游的泥沙灾害分成洪水灾害、土地沙化、河岸侵蚀和涝灾土地盐渍化四类,从致灾原因、灾害程度和发展趋势等方面简要论述了灾害发生与泥沙的关系;景可等(1999)[1]根据泥沙致灾过程与特性,将泥沙灾害分为直接灾害与间接灾害,并以黄河下游为例,提出了泥沙灾害形成的必备条件是:上中游的强烈产沙、强烈的沟道和河道泥沙输移、有限的泥沙沉积空间和水沙关系不协调;金德生等(2000)❶从流域出发,系统全面地论述了流域泥沙灾害类型的划分原则,从自然动力和人为动力泥沙灾害两种序列,按流域水系、沟道坡面、河道和平原河口海岸四类,侵蚀型、输移型、堆积型、复杂型和耦合型将泥沙灾害分成102个灾种。这些研究为泥沙灾害工作的开展奠定了相当的基础,但大都还局限于定性的宏观研究,针对某一条河流的研究工作还做的比较少。

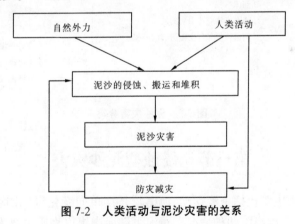

图7-2 人类活动与泥沙灾害的关系

第二节 黄河下游泥沙灾害分类

师长兴(1999)[8]曾将黄河下游的泥沙灾害分成洪水灾害、土地沙化、河岸侵蚀和涝灾土地盐渍化四类,这四类灾害确实是黄河下游较为严重的与泥沙有关的灾害。根据黄河下游与泥沙有关灾害的实际情况,并从符合逻辑分类的角度出发,同时又不引起混乱,基

---

❶ 金德生等.流域泥沙灾害类型及其划分原则初步研究.2000

本遵循金德生等人 2000 年的逐级分类法则,暂将黄河下游的泥沙灾害分为自然动力与人为动力两个泥沙灾害系列,侵蚀型和堆积型两个灾种。其中每个灾种按照不同性质区分,又可有不同的形式,如图 7-3 所示。

不管是自然动力还是人为动力,不论是直接的还是间接的,黄河下游的泥沙灾害主要表现为侵蚀型和堆积型两种灾害。侵蚀型泥沙灾害主要包括河道冲刷、主流摆动等原因引起的滩岸坍塌或工程出险,堆积型泥沙灾害包括河槽堆积、滩地堆积和三角洲堆积而引起的洪涝灾害、土地沙化和盐渍化等。

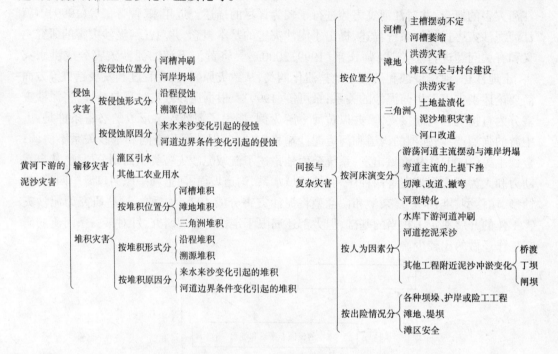

图 7-3　泥沙灾害分类

第三节　侵蚀型泥沙灾害

侵蚀型泥沙灾害主要包括主流摆动、河槽较长期单向变化等原因引起的滩岸侵蚀灾害,包括滩岸坍塌和工程出险两种情况。黄河下游滩岸组成物质主要为粉细砂,抗冲蚀能力较低。在游荡性较强的河南河段,主流摆动频繁而且摆动幅度很大。即使在两岸整治工程限制较好的山东河段,主流也存在"上提下挫"、"大水居中、小水坐弯"等变化特点。这两方面的原因常常造成滩岸坍塌或工程出险。

一、滩岸坍塌

当河槽发生较长期的单向变化时,容易引起滩岸坍塌,使滩岸受到侵蚀。图 5-15 点绘了三门峡水库下泄清水时期铁谢到马寨河段的滩槽高差和河槽宽度的沿程变化情况,在主流紧靠南岸险工和邙山的铁谢到孤柏嘴一带,河槽宽度变化较小,但槽深却增加很多;孤柏嘴以下除少数断面主流受险工控制之外,其余断面的河槽宽度都大量增加,一般增大 1～2 倍,河槽深度也相应增大。滩坎坍塌、滩地损失的数量是惊人的。从 1960 年冬到 1964 年秋,各河段滩地损失量为:铁谢到花园口河段为 61.4 km²,花园口到东坝头 186.7 km²,东坝头到高村 71.3 km²,高村到陶城铺 76.4 km²[10]。另据统计,1949～1971 年河南省滩区耕地塌失约 4.3 万 hm²,落河村庄 123 个❶。

又如近 10 年来,黄河下游河槽萎缩严重,平滩流量呈减少趋势,河槽对水流的控制作用越来越差,不仅使得主流更容易摆动,而且使工程靠溜部位严重上提。1997 年以前主流靠杨集工程上首,使韩胡同、伟庄工程溜势大幅度上提,于搂工程脱河,程那里河势下滑❷。

二、工程出险

河道整治工程出险是水流横向侵蚀的另一种结果。在三门峡水库下泄清水时期,黄河下游河道从淤积转为冲刷,冲刷自上而下发展,冲刷幅度上大下小。在两岸限制性较强、河势比较稳定的河段,河槽常常以下切为主;而在两岸限制性较差的宽浅河段,河槽在下切的同时往往还会展宽,致使滩岸的稳定性受到影响,滩岸坍塌严重,河道整治工程出险明显增加。河槽的下切与展宽将直接影响河道整治工程,甚至威胁到工程安全,造成泥沙灾害。这种泥沙灾害主要表现为三种形式(如图 7-4):一是主流持续长时间顶冲坝垛、在坝垛前形成冲刷坑而造成坝垛出险的情况;二是河势变化使主流脱离工程控制,直接顶冲滩岸或者抄工程的后路,造成滩岸坍塌、进而危及坝垛的整体安全;三是大水漫过坝垛,在坝垛的前、后形成冲刷坑,危及坝垛安全的情况。

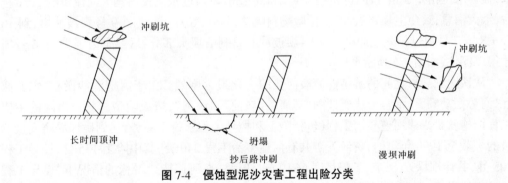

图 7-4 侵蚀型泥沙灾害工程出险分类

从图 5-16 统计的 1955～1970 年黄河下游河南河段工程出险情况可以看出,在三门峡水库拦沙期间(1960～1964 年),工程出险次数、处数、坝垛数等都显著增加,抢险石料从 1960 年的 1.24 万 m³,逐年增加到 1964 年的 11.11 万 m³,是 1960 年的近 10 倍❷。

即使在工程未出险时,也还需要对工程的根石进行定期探测,必要时补抛根石进行加固。

❶ 刘于礼.河南黄河河道整治论述.1981
❷ 黄委会河务局,河南黄河河务局.小浪底水库初期运用黄河下游河道整治工程的适应性及 2000 年防洪对策.2000

第四节　堆积型泥沙灾害

一、堤防等各类工程的加高加固与完善

黄河下游河道是黄河上、中游泥沙输送到下游而长期堆积的结果,除右岸郑州铁桥以上和东平湖到济南为山岭地带外,其余均被两岸堤防所约束。为了有效地控制河势,整个下游河道内沿程还分布有河道整治工程。堤防和河道整治工程、滞洪区围坝与湖堤工程、引水防沙工程等都是按当年当地的某一标准流量相应的水位进行设计的,而由于河道泥沙的持续淤积,使得河道逐年抬高,各站这一流量下的水位也持续抬高,防洪设计水位也随之逐年抬高,堤防与河道整治工程也因此须相应持续加高加固。1949 年以来,黄河下游先后四次对大堤进行加高培厚。现行黄河下游两岸临黄大堤共计长 1 370.677 km,其中左岸 746.979 km,右岸 623.698 km。大堤高度一般为 7～10 m,最高达 14 m,临背地面高差一般为 4～6 m,最高达到 10 m 以上❶。

黄河下游防洪形势的严峻不仅在于洪水位的持续走高,而且还在于河势的多变。如由于河槽泥沙淤积,1996 年与 1982 年相比,5 000 m³/s 流量下洪水位花园口、夹河滩、高村和孙口站的水位分别高出 1.02 m、1.40 m、0.54 m 和 1.30 m。一方面,造成河道整治工程坝顶高程相对降低,控导主流的能力减小。另一方面,河道的淤积也使得主流更容易摆动,使已有工程难以有效地控导主流。如 1996 年 8 月洪水期间韩胡同工程(位于高村到陶城铺河段)出险,主流开始顶冲该工程上首的 +9～ +4 号坝,8 月 12 日 13 时,因流量增加(孙口站3 470 m³/s 到 3 620 m³/s)、洪水位上涨,工程上首 200 m 处生产堤漫决过水,临背水位相差 3 m,口门迅速展开到1 000余 m,口门过水流量占到大河流量的 20% 左右,水大溜急,致使上坝路被冲断,抢险物料无法运进。8 月 13 日, +9 号坝被冲垮,到 16日 +8、+7 号坝也相继被冲垮, +6 号坝被冲的只剩下坝头部分,后经全力强护, +6 号坝才得以保住,如图 7-5 所示❷。

从铁谢到高村之间的游荡性河段河势的变化最为剧烈。由于河槽泥沙淤积,水流散乱,河势摆动频繁,常常形成所谓的"横河"、"斜河"、"滚河",造成险情。防止出险的主要工程措施就是兴建河道整治工程(包括险工和控导工程),稳定河势,达到确保堤防安全的目的。截至 1999 年汛前,黄河下游共有河道整治工程 340 处,其中险工 135 处,控导工程205 处,共计坝垛9 166道,工程长度 662 km。但是,在河道持续淤积的情况下,控导工程会被很快淤埋,降低控导作用,甚至危及堤防安全。如 1996 年 8 月洪水,洪峰流量才7 000 m³/s多,但是黄河下游的3 416处控导工程中,已有1 346道坝垛漫顶,占控导工程总数的 39.4%,平均漫顶水深 0.5 m,最大 1.5 m。漫顶水流会冲刷坝基,甚至会引起垮坝[11]。

河道淤积对新建工程也有影响。由于河槽淤积,新建河道整治工程往往基础较浅,比

❶ 黄委会设计院.黄河下游防洪规划报告.2000
❷ 黄委会河务局,河南黄河河务局.小浪底水库初期运用黄河下游河道整治工程的适应性及 2000 年防洪对策.2000

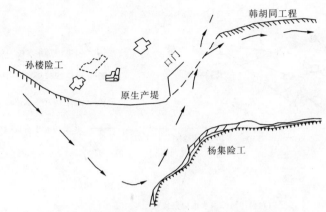

图 7-5　韩胡同工程 1996 年 8 月出险情况示意

较容易发生根石走失，造成坝垛坍塌。如 1996 年洪水期，险情较为严重，共耗费抢险石料 65.82 万 m³，是 1982 年洪水期的 8 倍[11]。

黄河下游的引水工程(包括分洪工程)很多，但由于黄河河床逐年淤积抬高，同流量水位升高，引水能力也随之下降，甚至使不少引水工程淤废。

二、洪涝灾害

洪涝灾害是泥沙灾害所带来的最为严重的灾害之一，但是由于大堤不断加高，洪涝灾害实际上表现为滩区的洪水灾害。首先，泥沙在河道中的持续淤积使得河道逐年抬高，同流量下的洪水位也相应持续抬高。其次，泥沙在滩地与河槽中淤积数量不同，特别是河槽的淤积与萎缩增大了漫滩洪水发生的机遇，从而容易造成"小水大灾"。例如 1954 年大水，20 世纪 90 年代的几场大水。

(一)滩地泥沙持续淤积，使得滩区村庄以及避洪村台也相应需要重建或加高

据近年统计[12]，黄河下游滩区面积 3 956 km²，耕地 25 万 hm²，村庄 2 071 个，人口 178.3 万。截至 1998 年，下游滩区已建村台、避水台、房台等避洪设施 5 177.5 万 m²，撤退道路 620.3 km。由于泥沙淤积，滩区防洪保安全任务繁重。图 7-6 绘制了 1976 年和 1982 年南岸和北岸最高洪水位与 1958 年最高洪水位之差的沿程变化，这三年洪水较大，花园口站洪峰流量分别为约 22 300 m³/s、9 210 m³/s 和 15 300 m³/s。从图可以看出，虽然 1976 年的洪峰流量远小于 1958 年洪水的，但是沿程洪水位却普遍高于 1958 年洪水位，最多高出 2.5 m。

表 7-1 列举了 1958 年、1976 年和 1982 年黄河下游滩区大洪水年淹没情况，可以看出，虽然 1976 年和 1982 年的洪峰流量都远小于 1958 年的数量，受灾村庄和耕地变化不大或稍有减少趋势，但受灾人口和房屋倒塌却明显地呈增加趋势。尽管这些年来滩区安全建设已经有了长足的发展与进步。这进一步表明，与总的泥沙灾害发展趋势一致，黄河下游滩区由于泥沙淤积而带来的灾害也是随着人口和经济的发展而呈增长趋势的[7,13]。

(二)由于河槽泥沙淤积，滩槽高差减小，水流容易漫滩，造成"小水大灾"

图 7-7 绘制了花园口站平滩流量的历年变化情况。可以看出，1960～1966 年期间三门峡水库下泄清水，下游河槽冲刷下切，使平滩流量较大；之后到 1975 年三门峡水库滞洪

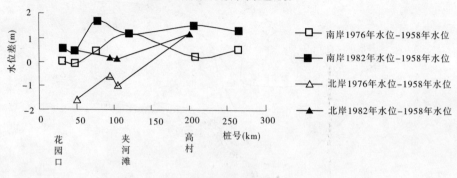

花园口到高村河段洪水水位差比较

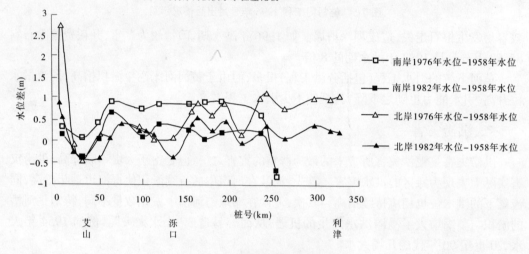

艾山到利津河段洪水水位差比较

图 7-6　最高洪水位沿程变化

表 7-1　　　　　　黄河下游滩区大洪水年淹没损失统计❶

年份	省份	受灾村庄（个）	受灾人口（万人）	耕地（万 hm²）	房屋倒塌（万间）	粮食损失（万 kg）	牲口死亡（头）
1958	河南	607	19.49	8.53	9.4	1 811.8	2 061
	山东	1 101	54.59	11.79	20.1		
	小计	1 708	74.08	20.32	29.5		
1976	河南	690	54.00	7.13	16.0		
	山东	949	48.69	7.87	14.6		
	小计	1 639	102.69	15.0	30.6		
1982	河南	680	55.68	8.99	29.87	15 094.0	613
	山东	623	37.59	5.51	10.21	14 979.4	11 988
	东平湖区	171	13.11	0.72	0.46	8 276.0	46
	小计	1 474	106.38	15.22	40.54	38 349.4	12 647

❶　黄河防汛总指挥部办公室.黄河下游防汛手册.1998

排沙,又使河槽发生较大淤积,滩槽高差减小,使平滩流量降低较多;1975 年之后,三门峡水库开始蓄清排浑运用,再加上随后的大水系列,使下游河槽维持了较大的平滩流量;1985 年以来,虽然来沙量略有减小,但来水量也普遍偏小,再加上其他原因,使河槽泥沙淤积较快,滩槽高差减小,河槽萎缩,造成平滩流量呈现出明显减小趋势。

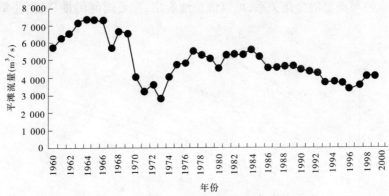

图 7-7　花园口水文站平滩流量历年变化

河槽泥沙的淤积、平滩流量的降低使黄河下游的洪水传播速度明显减缓,从表 7-2 统计的黄河下游主要水文站三次洪峰传播时间对比可以看出,几乎各个河段洪峰的传播时间都有所延长,特别是花园口到艾山之间的宽河段,其中夹河滩到高村之间宽河段的洪水传播时间从 1958 年的 14 h 增加到 1996 年的 76 h,增加 4 倍多。

表 7-2　　　黄河下游主要水文站 1958 年、1982 年和 1996 年 8 月洪峰传播时间

	水文站	花园口	夹河滩	高村	孙口	艾山	泺口	利津
年份	间距(km)		96	93	130	63	108	174
	正常传播(h)		12~24	12~24	14~48	8~40	14~48	18~48
1958 年	洪峰流量(m^3/s)	22 300	20 500	17 900	15 900	12 600	11 900	10 400
	相应水位(m)	93.77	76.73	62.96	49.28	43.10	32.09	13.76
	传播时间(h)		14	14	31.5	34	14	45
1982 年	洪峰流量(m^3/s)	15 300	14 500	13 000	10 100	7 430	6 010	5 810
	相应水位(m)	93.97	77.50	64.11	49.50	42.70	31.69	13.98
	传播时间(h)		19	22	48	12	43.7	24.7
1996 年 8 月	洪峰流量(m^3/s)	7 600	7 170	6 200	5 540	5 060	4 780	4 100
	相应水位(m)	94.73	78.44	63.87	49.66	42.75	32.24	14.70
	传播时间(h)		30	76	120	52.5	25.3	65.2
1998 年 7 月	洪峰流量(m^3/s)	4 700	4 050	3 020	2 660	2 800	2 750	2 480
	相应水位(m)	94.38	77.77	63.40	48.41	41.43	30.87	13.53
	传播时间(h)		25	13	48.5	20	7.4	20.1

注:①关于正常传播时间也有不同看法,但定量上差别不大。

②1982 年洪水存在东平湖运用。

随着河槽的萎缩和洪水传播速度的降低,不仅造成沿程洪水位的升高,而且还使洪水向下游传播减缓,增加了沿程的防洪压力。如 1998 年 7 月花园口洪峰流量只有 4 700 m³/s,但是相应水位与 1982 年 15 300 m³/s 流量下的水位 93.97 m 高出近 0.5 m,与 1996 年 8 月 7 600 m³/s 流量下的水位也只相差 25 cm。图 7-8 绘制了花园口水文站几个洪水年份水位与流量的变化关系,可以清楚地看出,随着时间的推移,同流量下水位升高较快。

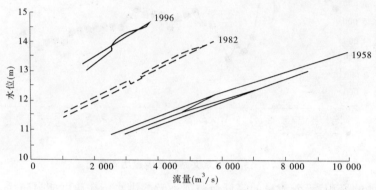

图 7-8　利津水文站水位与流量关系变化

三、河流改道

挟沙河流进入平原地区通常会形成三角洲,多沙河流在三角洲上的发展过程常常是摆动与循环发展的过程。在流路改道形成新的流路之后,河槽会随着时间的推移而逐渐被淤积抬高并延伸,而当河槽淤积抬高到一定程度之后,河床高程又会高出两岸地面,直到改道为止。河口河道的改道虽然对缩短流路长度以及降低河道淤积速度会有一定的好处,但是会给改道地区带来相当的经济损失,特别是在高度发达的三角洲或河口地区。

历史上黄河下游河道的变迁范围十分广阔,北达天津,南到江淮。据历史文献记载,从公元前 602 年到 1938 年花园口扒口的 2 540 年中,有记载的泛滥年份有 543 年,决堤次数达 1 590 余次,经历了五次大改道和迁徙。洪灾波及范围北达天津,南抵江淮,包括冀、鲁、豫、皖、苏五省的黄淮海平原,纵横 25 万 km²,造成了巨大的灾难。根据历史洪泛情况,结合现在的地形地物变化分析推断,黄河洪泛影响范围内,总土地面积约 12 万 km²,耕地 733 万 hm²,人口 7 801 万。就一次决堤而言,向北最大影响范围 3.3 万 km²,向南最大影响范围 4 万 km²。

就黄河而言,近代黄河三角洲是指 1855 年铜瓦厢决口改道后大清河由利津附近入海以来所形成的以宁海为顶点、北起套儿河口、南到支脉沟口的扇形地带,面积将近 6 000 km²。近代黄河三角洲几乎是一个平原,石油、天然气、滩涂、卤矿等自然资源丰富。近 20 年来,随着石油工业等的迅速发展,以及东营市的崛起,河口地区经济已经十分发达。

但由于黄河每年携带大量泥沙输往河口,致使河口长期以来处于自然淤积、延伸、摆动和改道的状态。自 1855 年以来,黄河在近代三角洲上实际行水约 134 年,共改道 50 余次,其中大的改道有 10 次,共计 10 条流路,平均约每 13 年改道一次。自 1976 年黄河流经现行清水沟流路以来,为了使河口地区社会经济能够持续发展,在黄河河口地区已经投入了大量资金,利用清淤、拖淤、挖河固堤等手段疏浚河道,再加上近十几年来进入河口地区的沙量明显减小等原因,黄河才在清水沟流路行水25年。稳定清水沟流路对河口地区的经济发展固然十分重要,但需要指出的是,河口的不断延伸会使黄河侵蚀基准面持续抬高,导致黄河的溯源淤积,也会引起河流改道,造成泥沙灾害[14]。图7-9绘制了利津水文站1950年以来不同流量下水位的变化过程(部分年份缺少资料),可以看出:①由于泥沙淤积,不管是3 000 m³/s还是1 000 m³/s流量下,总的来看水位都是持续走高的。②在河口河段发生改道的初期阶段,河长缩短、河槽冲刷,通常表现为水位下降。如1953年并汊改道、1960年改道、1964年防凌扒堤改道、1976年人工改道等都引起明显的水位下降。

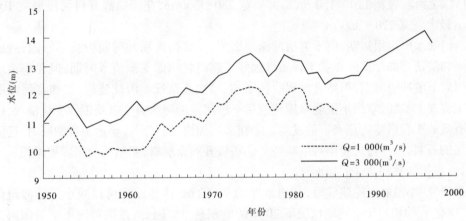

图7-9 利津水文站水位历年变化

四、土地沙化和盐碱化

在土地沙化方面,可以用引黄灌溉作为例子。山东省自1965年引黄复灌以来,已累计开辟沉沙池近5万 hm²,绝大部分灌区沉沙佳地已基本用完,沉沙池占地55%被沙化;干渠清淤占压及风沙侵蚀土地超过2万 hm²,渠首地带两项合计占压土地约7万 hm²,渠首地带生态环境恶化,群众生产、生活困难,经济发展缓慢。另外,灌区清淤,泥沙处理负担严重。20世纪80年代,山东省年均引水量76亿 m³,引沙6 400万 m³,其中3 200万 m³需要清淤及处理,年耗资上亿元。近年来有增无减。分滞洪区的土地沙化也十分严重。如1982年8月东平湖分洪后,产生不能耕种的土地约425 hm²。

从水流条件看,黄河在下游的大部分地区是一条地上河,一方面通过地下径流向两岸平原输送大量含盐分较高的流水,抬高两岸平原的地下水位;另一方面,给引水灌溉创造了良好的条件,同时灌区流水常常难以重新回到黄河,而只能靠河道排水。如在河口地区还受海水侵入的影响。从地形条件来看,黄河下游两岸分布有大量不易排水的土地,还有河口地区等。这两个方面的因素都会使土地盐碱化或加重其盐碱化。据不完全统计,山东、河南沿黄地区到1990年前后有盐碱地50万 hm²以上[12,15]

第五节　近期泥沙灾害减灾方略

随着小浪底水库的蓄水运用，下游河道会发生较大变化。在小浪底水库运用初期，会有较长的清水下泄期。通常在水库下泄清水期，水库下游会出现冲刷下切，并进而引起滩岸的坍塌，影响河道整治工程。根据数学模型估算❶，采用不同典型年所得到的黄河下游清水冲刷第一年不同河段河槽冲刷下切和展宽情况分别为：花园口以上河段河槽平均河底高程降低 0.65～0.68 m，花园口到高村河段降低 0.48～0.67 m，高村到艾山河段降低 0.14～0.32 m，艾山到利津河段降低 0.03～0.16 m；河槽展宽主要发生在高村以上河段，花园口以上河段展宽 120～150 m，最大展宽 280～360 m，花园口到高村河段展宽 100～210 m，最大展宽 220～300 m。

三门峡水库运用初期，由于河槽冲深与展宽、主流持续顶冲时间较长等原因，造成大量坍塌和险情增加。虽然现状工程条件远好于三门峡水库下泄清水时期，但在小浪底水库运用后下游冲刷时期，仍然会出现险情增加、增大等情况。因此建议：①加强河床演变以及工程观测，及时掌握小浪底水库建成后下游河道的河床演变以及工程变化情况，以便采取有效的工程措施防止灾害的发生。②在适当加快、加密完善整治工程的同时，还应准备充足的石料，以应付可能出现的险情。③积极开展新材料、新结构的坝垛护岸控导工程研究，逐步扭转被动防守的局面。

据研究，小浪底水库建成后，利用水库的 76 亿 m³ 拦沙库容可以减小下游河道泥沙淤积 77 亿 t，约相当于不建库情况下 20 年的淤积总量。因此，近期黄河下游河床因泥沙堆积而引起的堤防加高与洪水灾害将会大大降低，两岸堤防与河道整治工程在一定时期内不需要加高。虽然如此，可能在某些地方还需要进行加固和维修。

其次，下游的洪水灾害依然存在，同时由于黄河下游 50 多年来除河口局部地区外没有发生决口，洪水灾害主要发生在滩区。因此建议，进一步加强滩区安全设施建设，以减少泥沙灾害。

黄河自 1976 年走清水沟以来，至今已经行水 25 年。为了防止河口改道，稳定清水沟流路，依然需要进一步对河口河段进行综合治理，加强研究河口淤积延伸与下游河道河床抬升的关系，以便更好地治理河口。在既保证流路的相对稳定，使河口地区可以持续发展，又不使下游河道河床淤积速度过快的情况下，建议将河口三角洲顶点下移（以不影响东营市为原则），保持河口河段流路的摆动特性，最大范围地利用海域进行淤沙。土地沙化和盐渍化问题已经成为一个环境问题。一方面，应当积极开展引水防沙措施的研究，少引泥沙，特别是粗颗粒泥沙；另一方面，可以利用细颗粒泥沙对盐碱土地进行改良或者利用泥沙淤临淤背。这样，既可以降低土地沙化的可能性，又可以充分利用泥沙有利的一面。

参 考 文 献

1　景可，李凤新．泥沙灾害类型及成因机制分析．泥沙研究，1999(1)

　❶　黄委会设计院．黄河下游泥沙数学模型．1999

2 White G F. Natural hazards. Oxford University Press. 1974

3 Blong R J. and Johnson R W. Geological hazards in the Southwest Pacific and Southwest Asian Regions: Identification, Assessment. Oxford University Press. 1974

4 芦田和男等著. 冯金亭等译. 河流泥沙灾害及其防治. 北京:水利电力出版社,1987

5 Schumm S A. Geomorphic hazards - problems of prediction. 1988

6 刘树坤等主编. 全民防洪减灾手册. 沈阳:辽宁人民出版社,1993

7 倪晋仁,王兆印,王光谦. 江河泥沙灾害形成机理及其防治研究. 中国科学基金,1999(5)

8 师长兴. 黄河中下游泥沙灾害初步研究. 灾害学,1999(4)

9 师长兴. 中国洪涝灾害与泥沙关系. 地理学报,2000(5)

10 尹学良. 黄河下游的河性. 北京:中国水利水电出版社,1995

11 张仁. 近期黄河治理工作中的几个问题. 人民黄河,1999(7)

12 黄河水利委员会山东河务局. 山东黄河志. 济南:山东人民出版社,1998

13 Wohl E E. Inland flood hazards. Cambridge University Press. 2000

14 尹学良等. 黄河口清水沟行水年限的计算. 泥沙研究,1996(3)

15 魏克循. 河南土壤地理. 郑州:河南科学技术出版社,1995

第八章　一维水沙模型库及其应用

第一节　黄河泥沙数学模型发展概况

泥沙数学模型发展的历史并不长,但其发展的速度很快,特别是随着近年来大型、超级计算机及计算机网络技术的应用,人们能够同时使用多个 CPU 和远程计算机中心的共享资源,使得人们希望了解自然情况下泥沙输移的非恒定性、非均匀性、非平衡性及多维性特点能够逐步变为现实。泥沙数学模型是研究泥沙问题的重要手段之一,它具有周期短、投资少的巨大优势。目前许多泥沙数学模型已经大量地被应用到国内外许多重要的水利建设工程实践中,而且经过检验具有一定的精度,几乎所有重大工程项目的建设都同时用物理模型试验和数学模型计算对其进行评估和关键因素的研究。一维泥沙数学模型一般用于长河段、长时期和不同水沙组合及河床边界条件的泥沙冲淤变形研究和预报;二维泥沙数学模型主要用于研究短河段、短时期的河床变形。

黄河泥沙数学模型的发展不仅离不开泥沙运动基本理论的研究,而且还与黄河的流域规划、工程建设和管理运用等生产问题紧密结合。50 年代初期,在编制黄河综合利用规划技术报告中,采用水流连续方程和泥沙连续方程联解对三门峡水库和下游河道的河床冲刷变形进行了计算[1~3],挟沙力公式采用经黄河资料验证的扎马林公式,使用平衡输沙模式计算断面含沙量。在水库计算中,假定库区水面是平的,粗泥沙先淤,细泥沙后淤,横断面淤积为平行抬高;库水位下降时,脱离回水的河段不进行冲刷计算。

三门峡枢纽施工时期,黄河水利科学研究院采用罗辛斯基的计算方法,即采用有限差法联解水流连续方程、水流运动方程和泥沙连续方程,对水库和下游河道的泥沙冲淤进行计算。计算结果说明,库区淤积和下游冲刷都集中在上端。但是在三门峡水库投入运用后,库区发生严重淤积,并迅速向上淤积延伸,下游河道冲刷幅度和速度远较计算值小,迫使三门峡水库不得不改建。为了研究三门峡水库改建对水库和下游河道冲淤的影响,在充分考虑了黄河水沙及冲淤特点的基础上,提出了下游河道冲淤的计算方法[4,5],经实践证明,泥沙冲淤计算结果是可靠的。

在 1975~1977 年进行治黄规划过程中,为研究各种规划方案对黄河下游减淤作用,提出了龙门至河口的粗、中、细三套泥沙冲淤计算方法[6]。80 年代在此基础上,进一步深入分析,建立了一套具有黄河特色的数学模型,在黄河规划中发挥了很大作用。

80 年代后期,黄河水利科学研究院对国内外一些泥沙数学模型进行验算,发现了不少问题,说明其他河流上使用较好的模型,直接应用于黄河还需要做很多工作。1987~1989 年,黄河水利科学研究院和武汉水利电力大学合作进行了黄河下游河道变动河床洪水预报的研究;90 年代初期与美国垦务局杨志达先生合作,用黄河位山河段资料对GSTARS 模型进行了验证和改进,在原模型中增加不平衡输沙方程及水流含沙量对挟沙力的影响。"七五"期间,国家自然科学重大研究项目和水利部黄河水沙变化研究基金等,均对一维泥沙数学模型进行了研究。特别是"八五"国家重点科技攻关项目中,由黄河水利科学研究院主持组织了国内大专院校和科研单位,对黄河泥沙数学模型研究进行了联合攻关,取得了很大进展,研制和开发了许多适合于黄河中、下游不同河段和水库的一维泥沙数学模型,并在生产中得到应用。

在决策支持系统(DSS)中,模型库系统占有十分重要的地位,它是 DSS 系统的核心[7],管理者使用 DSS 不是依靠数据库中的数据进行决策,而是依赖模型库中的模型进行决策,因此,可以认为,DSS 是由"模型驱动"的,模型为决策者提供一套分析判断、信息处理及模型决策的基本工具。由于模型库固有的专业性和复杂性,用户难以很好地组织模型来解决问题,只能针对特定领域的问题和开发环境,运用模型管理技术理论实现自己特定需要的模型库系统功能。本章主要介绍典型黄河泥沙数学模型的方法和应用,作为泥沙灾害防治决策支持系统框架模型库中的典型黄河泥沙数学模型模型集。

第二节 黄河一维泥沙数学模型

黄河一维泥沙数学模型包括水流模型和非耦合的泥沙输移模型两部分。水流模型主要有两种形式:一是恒定流模型,二是非恒定流的圣维南方程。两者的主要区别在于前者不考虑随时间变化的导数项,后者保留了随时间变化的不恒定项。由于泥沙输移计算的大部分理论还是以恒定流输沙为主,在非恒定流输移上还没有重大突破,因此采用以上两种计算方法对泥沙模型来说没有什么本质差异。

一、水流模型基本方程

水流连续方程式

$$\frac{\partial(Q)}{\partial x} + \frac{\partial A}{\partial t} = q \tag{8-1}$$

水流运动方程式

$$\frac{\partial Q}{\partial t} + \frac{\partial}{\partial x}\left|\frac{Q^2}{A}\right| + gA\frac{\partial Z}{\partial x} + g\frac{Q^2}{C^2 AR} = \frac{Q}{A}q \tag{8-2}$$

式中:Q 为水流流量;A 为过水断面面积;q 为旁侧入流单宽流量;g 为重力加速度;C 为谢才系数;R 为水力半径;Z 为水位;B 为河宽。

二、泥沙输移模型基本方程

泥沙连续方程式

$$\frac{\partial(QS)}{\partial(x)} + \frac{\partial(AS)}{\partial t} + \alpha\omega B(S_* - S) = 0 \tag{8-3}$$

河床变形方程式

$$\gamma'\frac{\partial Z_b}{\partial t} = \alpha\omega(S - S_*) \tag{8-4}$$

水流挟沙力公式

$$S_* = S_*(Q, h, \omega \cdots\cdots) \tag{8-5}$$

式中：S 为断面平均含沙量；S_* 为断面平均挟沙力；Z_b 为断面平均河床高程；ω 为泥沙沉降速度；α 为泥沙恢复饱和系数；γ' 为泥沙干容重；x、t 为距离及时间。

三、计算方法概述

(一)恒定流模型水流计算

在恒定水流计算中，方程(8-1)、(8-2)中随时间变化项消去，将水流连续方程和水流运动方程简化为：

$$Q_i = Q_{i+1} + q \tag{8-6}$$

$$Z_{i+1} + h_{i+1} + \frac{\alpha_{i+1} V_{i+1}^2}{2g} = Z_i + h_i + \frac{\alpha_i V_i^i}{2g} + H_L \tag{8-7}$$

$$H_L = h_f + h_0, h_f = \left(\frac{Q}{K_i}\right)^2 L, h_0 = C_e\left(\frac{\alpha_i V_i^2}{2g} - \frac{\alpha_{i+1} V_{i+1}^2}{2g}\right)$$

式中：Z_i，Z_{i+1} 分别为下断面和上断面的河底平均高程；V_i，V_{i+1} 为分别为下断面和上断面的平均流速；Q_i，Q_{i+1} 为分别为下断面和上断面的平均流量；H_L 为水流能量损失水头；h_f 为水流沿程损失水头；h_0 为水流局部损失水头；C_e 为局部水头损失系数，当河段为突然放大时，C_e 取小于零的数，当河段为收缩时，C_e 取大于零的数；α_{i+1}，α_i 分别为上、下游动量非均匀修正系数，每一个断面均按下式计算。

$$\alpha_i = \frac{\sum_{j=1}^{m}\left(\frac{K_{ij}}{A_{ij}}\right)^2 K_{ij}}{\left(\frac{K_i}{A_i}\right)^2 K_i}, K_i = \sum_{j=1}^{m} K_{ij} \tag{8-8}$$

式中：m 为划分子断面个数；K_{ij}，A_{ij} 分别为第 i 断面第 j 子断面的流量模数和面积；K_i，A_i 分别为第 i 断面的总流量模数和总面积。

求解(8-6)、(8-7)方程的解可从下游向上游逐段进行，各个断面水力要素可用水位表示，因此需要进行试算法求解，一般采用标准分步推算法[8]。

(二)非恒定流模型水流计算

求解一维非恒定流方程式(8-1)、(8-2)的数值方法很多[9,10]，一般采用 Preissmann 四点偏心隐式差分格式，这种方法的数值稳定性较好，其精度能够满足水利工程的需要。

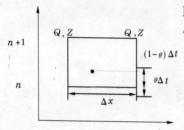

图 8-1　Preissmann 格式网格布置

Preissmann 四点偏心隐式差分格式，如图 8-1 所示，对于任意连续函数 f，用这种格式逼近为：

$$f(x, t) = \frac{\theta}{2}(f_{j+1}^{n+1} + f_j^{n+1}) + \frac{1-\theta}{2}(f_{j+1}^n + f_j^n)$$

$$\frac{\partial f}{\partial x} \approx \theta \frac{f_{j+1}^{n+1} - f_j^{n+1}}{\Delta x} + (1-\theta)\frac{f_{j+1}^n - f_j^n}{\Delta x}$$

$$\frac{\partial f}{\partial t} \approx \frac{f_{j+1}^{n+1} - f_{j+1}^n + f_j^{n+1} - f_j^n}{2\Delta t}$$

式中：θ 为时空加权因子；n 为时层序号；j 为断面序号。

如果用 $f^{n+1} = f^n + \Delta f$ 来表示,上面的表达式可以写成:

$$f(x,t) = \frac{\theta}{2}(\Delta f_{j+1} + \Delta f_j) + \frac{1}{2}(f_{j+1}^n + f_j^n)$$

$$\frac{\partial f}{\partial x} \approx \theta \frac{\Delta f_{j+1} - \Delta f_j}{\Delta x} + \frac{f_{j+1}^n - f_j^n}{\Delta x}$$

$$\frac{\partial f}{\partial x} \approx \frac{\Delta f_{j+1} + \Delta f_j}{2\Delta t}$$

利用上述表达式可得到方程(8-1)和方程(8-2)的差分形式,然后对差分方程进行线性化。在线性化过程中,略去增量的乘积项,最后得到以下线性方程组:

$$A_{1j}\Delta Q_j + B_{1j}\Delta Z_j + C_{1j}\Delta Q_{j+1} + D_{1j}\Delta Z_j = E_{1j} \tag{8-9}$$

$$A_{2j}\Delta Q_j + B_{2j}\Delta Z_j + C_{2j}\Delta Q_{j+1} + D_{2j}\Delta Z_j = E_{2j} \tag{8-10}$$

式中:

$$A_{1j} = -\frac{4\theta\Delta t}{\Delta x(B_j^n + B_{j+1}^n)}$$

$$B_{1j} = 1 - \frac{4\theta\Delta t(Q_{j+1}^n - Q_j^n)}{\Delta x(B_{j+1}^n + B_j^n)^2}\frac{dB_j^n}{dZ_j^n}$$

$$C_{1j} = \frac{4\theta\Delta t}{\Delta x(B_j^n + B_{j+1}^n)}$$

$$D_{1j} = 1 - \frac{4\theta\Delta t(Q_{j+1}^n - Q_j^n)}{\Delta x(B_{j+1}^n + B_j^n)^2}\frac{dB_{j+1}^n}{dZ_{j+1}^n}$$

$$E_{1j} = -\frac{4\Delta t(Q_{j+1}^n - Q_j^n)}{\Delta x(B_j^n + B_{j+1}^n)}$$

$$A_{2j} = 1 - \frac{4\theta\Delta t}{\Delta x}\left(\frac{Q_j^n}{A_j^n}\right) + 2\Delta t \mathrm{tg}\theta \frac{A_j^n \mid Q_j^n \mid}{(K_j^n)^2}$$

$$B_{2j} = \frac{\theta\Delta t}{\Delta x}\left[\frac{2(Q_j^n)^2 B_j^n}{(A_j^n)^2} - g(A_{j+1}^n + A_j^n) + g(Z_{j+1}^n - Z_j^n)B_j^n\right]$$

$$+ g\theta\Delta t \frac{Q_j^n \mid Q_j^n \mid}{(K_j^n)^2}\left[B_j^n - \frac{2A_j^n}{K_j^n}\frac{dK_j^n}{dZ_j^n}\right]$$

$$C_{2j} = 1 + \frac{4\Delta t\theta Q_{j+1}^n}{\Delta x A_{j+1}^n} + 2g\theta\Delta t \frac{A_{j+1}^n \mid Q_{j+1}^n \mid}{(K_{j+1}^n)^2}$$

$$D_{2j} = \frac{\theta\Delta t}{\Delta x}\left[-\frac{2(Q_{j+1}^n)^2 B_{j+1}^n}{(A_{j+1}^n)^2} + g(A_{j+1}^n + A_j^n) + g(Z_{j+1}^n - Z_j^n)B_{j+1}^n\right]$$

$$+ g\theta\Delta t \frac{Q_{j+1}^n \mid Q_{j+1}^n \mid}{(K_{j+1}^n)^2}\left[B_{j+1}^n - \frac{2A_{j+1}^n}{(K_{j+1}^n)^3}\frac{dK_{j+1}^n}{dZ_{j+1}^n}\right]$$

$$E_{2j} = \frac{\Delta t}{\Delta x}\left[-\frac{2(Q_{j+1}^n)^2}{A_{j+1}^n} + \frac{2(Q_j^n)^2}{A_j^n} - g(A_{j+1}^n + A_j^n)(Z_{j+1}^n - Z_j^n)\right]$$

$$- g\Delta t\left[\frac{A_{j+1}^n Q_{j+1}^n \mid Q_{j+1}^n \mid}{(K_{j+1}^n)^2} + \frac{A_j^n Q_j^n \mid Q_j^n \mid}{(K_j^n)^2}\right]$$

其中:上角标为时间序列,下角标为断面序号,A_{ij}、B_{ij}、C_{ij}、D_{ij}、E_{ij}($i = 1,2$)为第 j 单元河

段差分方程的系数($j=1,2,\cdots\cdots,N-1$,其中 N 为断面个数)。

给定边界条件:

$$\Delta Q_1 = Q_1^{n+1} - Q_1^n = Q_1(t_{n+1}) - Q_1^n \tag{8-11}$$

$$\Delta Z_N = Z_N^{n+1} - Z_N^n = Z_N(t_{n+1}) - Z_N^n \tag{8-12}$$

方程(8-9)、式(8-10)及边界条件式(8-11)、式(8-12)共有 $2N$ 个未知数,$2N$ 个方程,可以求解。由于差分方程中的系数包含有未知数,方程求解不能直接求出未知变量,因此,在方程求解时必须进行迭代处理,下面给出用追赶法求解的步骤。

假设如下的两个线性关系式:

$$\Delta Q_j^n = F_j \Delta Z_j + G_j \tag{8-13}$$

$$\Delta Z_j = H_j \Delta Q_{j+1} + I_j \Delta Z_{j+1} + J_j \tag{8-14}$$

以式(8-13)代入式(8-9)得:

$$(A_{1j}F_j + B_{1j})\Delta Z_j = -C_{1j}\Delta Q_{j+1} - D_{1j}\Delta Z_{j+1} + (E_{1j} - A_{1j}G_j) \tag{8-15}$$

比较式(8-15)和式(8-14),可以求得:

$$H_j = \frac{-C_{1j}}{A_{1j}F_j + B_{1j}} \tag{8-16}$$

$$I_j = -\frac{D_{1j}}{A_{1j}F_{1j} + B_{1j}} \tag{8-17}$$

$$J_j = \frac{E_{1j} - A_{1j}G_j}{A_{1j}F_{1j} + B_{1j}} \tag{8-18}$$

将式(8-13)、式(8-14)代入式(8-10),整理后得:

$$\Delta Q_{j+1} = -\frac{A_{2j}F_jI_j + B_{2j}I_j + D_{2j}}{A_{2j}F_jH_j + B_{2j}H_j + C_{2j}}\Delta Z_{j+1} + \frac{E_{2j} - A_{2j}F_jJ_j - B_{2j}J_j - A_{2j}G_j}{A_{2j}F_jH_j + B_{2j}H_j + C_{2j}} \tag{8-19}$$

比较式(8-19)和式(8-13),则得:

$$F_{j+1} = -\frac{(A_{2j}F_j + B_{2j})I_j + D_{2j}}{(A_{2j}F_j + B_{2j})H_j + C_{2j}} \tag{8-20}$$

$$G_{j+1} = -\frac{E_{2j} - (A_{2j}F_j + B_{2j})I_j - A_{2j}G_j}{(A_{2j}F_j + B_{2j})H_j + C_{2j}} \tag{8-21}$$

有了循环计算式(8-16)、式(8-17)、式(8-18)、式(8-20)和式(8-21),在追的过程中可以求得系数 H_j、I_j、F_j、G_j,而后在赶的过程中求出 ΔQ_j 和 ΔZ_j。

(三)泥沙运动方程求解

泥沙运动方程式(8-3)求解采用迎风格式,将式(8-3)离散为差分方程,整理后得:

$$S_j^{n+1} = \begin{cases} \dfrac{\Delta t\alpha B_j^{n+1}\omega_j^{n+1}S_{*j}^{n+1} + A_j^n S_j^n + \dfrac{\Delta t}{\Delta x_{j-1}}Q_{j-1}^{n+1}S_{j-1}^{n+1}}{A_j^{n+1} + \Delta t\alpha B_j^{n+1}\omega_j^{n+1} + \dfrac{\Delta t}{\Delta x_j}Q_j^{n+1}}, Q \geqslant 0 \\[4mm] \dfrac{\Delta t\alpha B_j^{n+1}\omega_j^{n+1}S_{*j}^{n+1} + A_j^n S_j^n + \dfrac{\Delta t}{\Delta x_j}Q_{j+1}^{n+1}S_{j+1}^{n+1}}{A_j^{n+1} + \Delta t\alpha B_j^{n+1}\omega_j^{n+1} - \dfrac{\Delta t}{\Delta x_j}Q_j^{n+1}}, Q < 0 \end{cases} \tag{8-22}$$

当 $Q \geqslant 0$ 时,利用上边界条件,自上而下计算各断面含沙量;当 $Q < 0$ 时,利用下边界条件由下至上计算各断面含沙量。

(四)内边界水流及泥沙计算

水流内边界指河道的几何形状的不连续或水力特性的不连续点。例如,河流的汇合点、河流分流、局部河段内生产堤决口等。在这些内部边界中,圣维南方程组和单一河道泥沙不平衡输沙方程等都不再适用,必须根据其水力特性作特殊处理。内边界条件通常包含两个相容条件:即流量的连续条件和能量守恒条件(或动量守恒条件)。泥沙数学模型一般考虑以下几个类型的内边界处理。

1. 水沙的汇入或汇出

如图 8-2 所示,假设汇入或汇出点上、下断面满足以下条件:

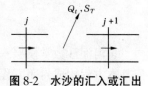

$$Z_{j+1}^{n+1} = Z_j^{n+1}$$

$$Q_{j+1}^{n+1} = Q_j^{n+1} - Q_t$$

$$Q_{j+1}^{n+1} S_{j+1}^{n+1} = Q_j^{n+1} S_j^{n+1} - Q_t S_t$$

图 8-2　水沙的汇入或汇出

2. 支流从干流分流

如图 8-3 所示,干流和支流上断面之间应满足连续方程和能量方程:

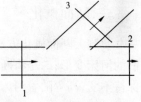

$$Q_1^{n+1} = Q_2^{n+1} + Q_3^{n+1}$$

$$Z_1^{n+1} + \frac{1}{2g}\left(\frac{Q_1^{n+1}}{A_1^{n+1}}\right)^2 = Z_2^{n+1} + \frac{1}{2g}\left(\frac{Q_2^{n+1}}{A_2^{n+1}}\right)^2$$

图 8-3　支流从干流分流

$$Z_1^{n+1} + \frac{1}{2g}\left(\frac{Q_1^{n+1}}{A_1^{n+1}}\right)^2 = Z_3^{n+1} + \frac{1}{2g}\left(\frac{Q_3^{n+1}}{A_3^{n+1}}\right)^2$$

支流从干流分流时,将干流分流断面按干、支流流量比分为两部分,忽略时变项。将方程(8-3)直接写成差分形式,求得干流和支流下游断面的含沙量为:

$$\begin{cases} S_2^{n+1} = \dfrac{2Q_1^{n+1} S_1^{n+1} - \alpha \Delta X_{12}\left[\varphi \omega_1^{n+1} B_1^{n+1}(S_1^{n+1} - S_{*1}^{n+1}) - \omega_2^{n+1} B_2^{n+1} S_{*2}^{n+1}\right]}{2Q_2^{n+1} + \alpha \Delta X_{12} \varphi B_1^{n+1}} \\[4mm] S_3^{n+1} = \dfrac{2Q_1^{n+1} S_1^{n+1} - \alpha \Delta X_{13}\left[(1-\varphi)\omega_1^{n+1} B_1^{n+1}(S_1^{n+1} - S_{*1}^{n+1}) - \omega_3^{n+1} B_3^{n+1} S_{*3}^{n+1}\right]}{2Q_3^{n+1} + \alpha \Delta X_{13}(1-\varphi) B_1^{n+1}} \end{cases} \quad (8\text{-}23)$$

式中:φ 为分流系数,由实测资料确定。

3. 支流汇入干流

如图 8-4 所示,当支流汇入干流时,与支流从干流分流类似,干流和支流上断面之间也满足连续方程和能量方程:

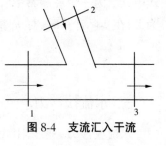

$$Q_3^{n+1} = Q_2^{n+1} + Q_1^{n+1}$$

$$Z_1^{n+1} + \frac{1}{2g}\left(\frac{Q_1^{n+1}}{A_1^{n+1}}\right)^2 = Z_3^{n+1} + \frac{1}{2g}\left(\frac{Q_3^{n+1}}{A_3^{n+1}}\right)^2$$

图 8-4　支流汇入干流

$$Z_2^{n+1} + \frac{1}{2g}\left(\frac{Q_2^{n+1}}{A_2^{n+1}}\right)^2 = Z_3^{n+1} + \frac{1}{2g}\left(\frac{Q_3^{n+1}}{A_3^{n+1}}\right)^2$$

将汇流断面按干、支流流量比分为两部分,忽略时变项。将方程(8-3)直接写成差分形式,求得汇流断面的含沙量为:

$$\begin{cases} S_{13}^{n+1} = \dfrac{2Q_1^{n+1}S_1^{n+1} - \alpha\Delta X_{13}\left[\omega_1^{n+1}B_1^{n+1}(S_1^{n+1}-S_{*1}^{n+1}) - \varphi\omega_3^{n+1}B_3^{n+1}S_{*3}^{n+1}\right]}{2Q_1^{n+1}+\alpha\varphi\Delta X_{13}B_3^{n+1}} \\[2mm] S_{23}^{n+1} = \dfrac{2Q_2^{n+1}S_2^{n+1} - \alpha\Delta X_{23}\left[\omega_2^{n+1}B_2^{n+1}(S_2^{n+1}-S_{*2}^{n+1}) - (1-\varphi)\omega_3^{n+1}B_3^{n+1}S_{*3}^{n+1}\right]}{2Q_2^{n+1}+\alpha\Delta X_{23}(1-\varphi)B_3^{n+1}} \\[2mm] S_3^{n+1} = \dfrac{Q_1^{n+1}S_{13}^{n+1} + Q_2^{n+1}S_{23}^{n+1}}{Q_3^{n+1}} \end{cases} \tag{8-24}$$

式中：φ 为分流系数,由实测资料确定。

第三节　关键技术问题处理

黄河泥沙数学模型一般都考虑了黄河的特点,基本原理都是一致的,其主要区别在于使基本方程构成封闭方程组所建立的一些补充关系式和考虑黄河特点采取的处理措施,其主要关键技术问题的处理包括:

一、断面概化

实测大断面概化方法一般为两种:一是将断面划分为主槽和滩地两部分,分别计算它们的河床变形;二是将断面划分为若干子断面,每个子断面的宽度在河床淤积和冲刷时均保持不变,高程随着河床冲淤不断地发生变化。

二、阻力计算

冲积河流的河床为动床,床面阻力主要是由沙粒阻力组成,它随着河道冲淤在不断地发生变化。当河道发生淤积时,河道的床沙被细化,床面阻力减小;反之,当河道发生冲刷时,河道的床沙被粗化,床面阻力增大。因此,模型对河床阻力随河道冲淤不断变化这一特点进行了初步考虑[11]。

$n_0 \sim Q$ 为初始河段糙率与流量的关系,假设河段在 t 时刻的糙率与流量关系为 $n_t \sim Q$,经过 Δt 时间,河段的冲淤量为 Δw,则河段在 $t+\Delta t$ 时刻的糙率与流量关系为:

$$n_{t+\Delta t} = n_t - C_n\frac{\Delta w}{\Delta t} \tag{8-25}$$

式中：C_n 为一个经验常数;Δw 为冲淤量,亿 m^3,冲刷时取负值,淤积时取正值;Δt 单位为天;在实际计算时,对 $n_{t+\Delta t}$ 变化范围限制在 $0.5n_0$ 到 $1.5n_0$ 之间,即:

$$n_{t+\Delta t} = \begin{cases} 0.5n_0 & n_{t+\Delta t} < 0.5n_0 \\ 1.5n_0 & n_{t+\Delta t} > 1.5n_0 \end{cases}$$

三、水流挟沙力

水流挟沙力一般采用武汉水利电力大学公式:

$$S_* = K\left(\frac{V^3}{gh\omega}\right)^m \tag{8-26}$$

式中：K、m 为经验系数,利用黄河实测资料进行回归求得。

由于黄河经常出现高含沙量,引起水流黏性的变化,因此,模型都考虑了含沙量对挟沙力公式的修正,其方法是利用上站来沙量及组成对泥沙沉速进行修正[12]。

四、分组水流挟沙力

分组水流挟沙力除与床沙级配有关外,还与上游来沙级配有关。目前,计算分组水流挟沙力大致有两类办法。一类是先用挟沙力公式求出非均匀悬沙的总挟沙力,然后用挟沙力级配乘以总挟沙力得到分组挟沙力,即

$$S_{*k} = P_{*k}S_* \tag{8-27}$$

式中:P_{*k} 为挟沙力级配,S_{*k}、S_* 分别为第 k 组分组挟沙力和总挟沙力。

另一类方法是直接确定分组粒径组泥沙的挟沙力,分组挟沙力的累加便是总挟沙力,分组挟沙力计算方法是首先利用均匀沙挟沙力公式计算出该粒径组的挟沙力,然后乘以挟沙力级配中相应与该粒径组的百分比,它的计算公式为

$$S_{*k} = P_{*k}S'_{*k} \tag{8-28}$$

挟沙力级配计算也分为两类。一类是假设悬移质挟沙力级配是由来水来沙和河床条件两部分组成,即采用如下形式挟沙力级配计算公式:

$$P_{*k} = wP_k + (1 - w)P_{*k} \tag{8-29}$$

式中:w 为加权因子,它与进口含沙量及级配有关,计算关系为:

$$W = \left[\left(\sum_k P_{bk} \times D_k \right) / D_{b90} \right]^{0.8} \qquad (S_* > S)$$

$$W = \left[\left(\sum_k P_k \times D_k \right) / D_{s90} \right]^{0.5} \qquad (S_* \leqslant S) \tag{8-30}$$

式中:P_{bk}、P_k、D_k 分别为河床质、进口悬移质级配及分组平均粒径;D_{b90}、D_{s90} 分别为床沙、悬沙小于 90% 对应的粒径。

第二类是将挟沙力级配与河床级配联系起来,确定其关系:

$$P_{*k} = P_{bk}\left(\frac{\omega}{\omega_k}\right)^m \bigg/ \sum_{k=1}^{N} P_{bk}\left(\frac{\omega}{\omega_k}\right)^m \tag{8-31}$$

式中:ω 为悬移质平均粒径;N 为分级粒径个数;m 为经验系数。

五、床沙级配调整计算

河床表层床沙级配随着与水中运动的泥沙及深层床沙的不断交换而变化,对河床阻力、挟沙力及河床冲淤影响较大。主要处理方法,一是采用分层储存淤积物级配模式,每层厚度取水流泥沙与床沙的交换层,当河道发生冲淤时,第一层将与第二层床沙发生交换,形成新的级配,以下各层因上下位置变化也作相应调整;二是假定河床在水流泥沙作用下,泥沙冲淤变化限定在一定深度的所谓活动层厚度内,但随着河床冲淤变化,活动层的位置或高程也相应进行不断地调整。两种方法都是利用泥沙连续方程,推求各层或活动层的床沙级配调整的计算公式。

六、滩槽水沙交换及断面形态的处理

利用各子断面的水力要素,建立各子断面与全断面含沙量的关系。对各个子断面的

泥沙冲淤变化进行模拟计算,其计算公式为:

$$\frac{S_{ij}}{S_i} = C\left(\frac{S_{*ij}}{S_{*i}}\right)^{\alpha} \tag{8-32}$$

式中:S_{ij}、S_i 分别为第 j 个子断面含沙量和断面平均含沙量;S_{*ij}、S_{*i} 分别为第 j 个子断面挟沙力和断面平均挟沙力;α 由实测资料求得;C 由下式求得:

$$C = Q \cdot S_{*i}^{\alpha} \bigg/ \sum_{j=1}^{N} (Q_{ij} \cdot S_{*ij}^{\alpha}) \tag{8-33}$$

式中:Q、Q_{ij} 分别为断面平均流量和第 j 个子断面流量;N 为子断面个数。

断面形态处理方法,一是采用冲淤量沿横断面某一范围内等厚分布的分配模式,其范围是淤积布满整个湿周,冲刷限制在稳定河宽范围内,当水面宽小于实际河宽时取实际的河宽;二是利用河道稳定的河相关系模拟断面宽度(主槽宽度)变化。

七、异重流计算

当异重流在底坡较陡的库底运行时,异重流的潜入条件可以采用下式判别:

$$\frac{\gamma_0}{\gamma_m - \gamma_0} \cdot \frac{V_0^2}{g h_0} = 0.6 \tag{8-34}$$

式中:V_0、h_0 分别为异重流潜入断面的平均流速和水深;γ_m、γ_0 为异重流和清水的容重。当库底坡度很缓时,根据韩其为等人的研究[13],异重流的潜入条件应为:

$$h \geq \max[h_0, h_n] \tag{8-35}$$

式中:h_0 为按式(8-34)计算的潜入点水深;h_n 为异重流均匀运动时的水深。产生异重流后,从潜入断面开始要逐断面计算异重流的水力参数。在异重流运动过程中,因沿程流量减小不多,故在一个计算时段内可以作为恒定流来处理。异重流水深计算选用异重流均匀运动水深计算公式,即

$$h_n = \left(\frac{\lambda_t}{8gJ_0} \cdot \frac{\gamma_m}{\gamma_m - \gamma_0} \cdot \frac{Q_e^2}{B_e^2}\right)^{\frac{1}{3}} \tag{8-36}$$

式中:J_0 为分河段底坡;Q_e 为异重流流量;B_e 为异重流宽度。异重流挟沙力、含沙量以及冲淤量等的计算均与明流相同,只是此时的水力参数应采用异重流的。

第四节　黄河泥沙数学模型验证及应用

黄河泥沙数学模型主要包括:龙、华、河、㳇至潼关一维恒定和非恒定泥沙数学模型,三门峡水库和小浪底水库一维恒定流泥沙数学模型,黄河下游一维恒定和非恒定流泥沙数学模型,黄河河口二维潮流泥沙数学模型等,利用现有的泥沙数学模型可以从禹门口分河段计算到黄河河口。

一、黄河中游河道冲淤及洪水验算

计算区域为龙门、华县、河津、㳇头至潼关河段,黄河干流上有渭河和汾河汇入,在渭河上有北洛河汇入。本模型同时模拟黄河干流、渭河、北洛河三条河流的洪水演进过程,

各汇入点作为内边界处理,汾河仅作为已知水、沙过程线汇入黄河干流。上边界条件为龙门、华县、河津、湫头各站,水沙为进口控制的已知条件,下边界条件为潼关站出口控制水位。利用1974~1985年实测水沙系列对黄河中游一维泥沙冲淤数学模型进行验证,验证结果表明:各河段计算总冲淤量及累计冲淤量过程与实测值符合一致,可以用于黄河中游泥沙冲淤计算[11]。

为了研究黄河上、中游拦减粗泥沙对小北干流冲淤的影响,利用黄河中游一维泥沙数学模型进行了不同方案的计算。方案1为汛期粗泥沙,较原1974~1985年水沙系列减少20%;方案2为汛期全沙,较原系列减少10%,计算结果如表8-1所示。

表 8-1 方案计算结果 （单位:10^3m^3）

项目	原水沙系列	方案1	方案2
进口全沙量	127.85	123.48	116.28
进口粗泥沙量	25.66	21.29	23.48
区间冲淤量	-0.26	-0.99	-0.74
减少淤积量	0	0.73	0.48

由表可见,方案1来沙减少4.37亿m^3,少于方案2的减少来沙量11.57亿m^3,但由于方案1减少的全部是粗泥沙,方案1减少小北干流的淤积量较方案2还多0.25亿m^3,表明减少粗泥沙来量对减少淤积比较有效,这是合理的。

黄河中游1981年汛初洪水特征主要为:洪水时间为7月3日至7月14日,洪水持续时间为12天,龙门最大流量为6 400 m^3/s、最大含沙量为298.0 kg/m^3,华县最大流量为970 m^3/s,最大含沙量为117.0 kg/m^3。由图8-5可以看出,计算的潼关出口流量过程线与实测过程线比较符合,计算洪峰最大值和相应洪峰传播时间与实测值比较接近,计算潼关出口含沙量过程线与实测值也是比较一致的,比较好地模拟出三条河流的洪水传播过程和泥沙冲淤调整过程。

图8-6为华阴站计算水位与实测值的比较、计算流量与实测值的比较。由图中可以看出,计算水位、流量过程线与相应实测过程线比较符合。同时也看出,在洪水初期,华阴站出现了倒灌现象,流量出现了负值,比较好地模拟出了黄河干流倒灌渭河的现象。

图8-7为朝邑站计算水位与实测值的比较、计算流量与实测值的比较。可以看出,计算水位、流量过程线与相应实测过程线比较一致。由于计算北洛河各断面的水位和流量,是通过一系列内边界条件计算得到的,也可以说明采用的内边界处理技术是比较合理的。

二、潼关河段清淤效果分析计算

采用黄河中游一维恒定流泥沙冲淤数学模型分析研究1996~2000年在潼关附近开展的清淤效果,计算在没有清淤情况下河道冲淤状况和潼关高程❶。计算范围为潼关至大坝;河床原始地形采用1996年汛前实测大断面资料;入口水沙条件为潼关站1996年7

---

❶ 黄委会水利科学研究院.潼关高程演变规律.2001

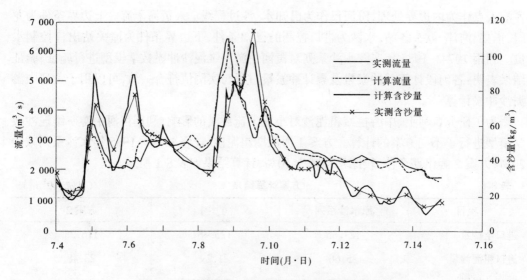

图 8-5 潼关站流量、含沙量计算值与实测值的比较

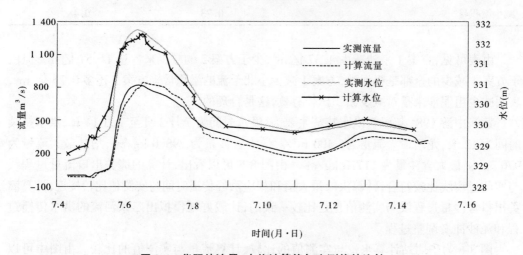

图 8-6 华阴站流量、水位计算值与实测值的比较

月 1 日至 2000 年 10 月 31 日实测逐日流量和输沙率过程及悬移质级配;出口控制条件为史家滩实测逐日水位过程,计算结果见表 8-2。

表 8-2 中实测值表示在射流清淤条件下,各个河段实际冲淤量及 2000 年汛末潼关高程,计算值表示在没有射流清淤试验条件下计算出的各个河段冲淤量及 2000 年汛末潼关高程。可以看出,在清淤条件下,潼关至坑垲河段(36～41 断面)汛期、非汛期年均淤积量比未清淤条件下淤积量偏小,说明在潼关河段附近开展射流清淤对减少潼关附近淤积是有利的;大禹渡至坑垲河段清淤时,汛期冲刷量小于未清淤冲刷量,其原因可能是在现有清淤条件下,潼关至坑垲河段一部分泥沙被输送到坑垲至大禹渡河段,而 1996～2000 年汛期水量偏枯,溯源冲刷和沿程冲刷不能完全结合,因而造成上冲下淤现象。大禹渡以下河段基本上不受清淤的影响,两者冲淤量结果基本一致。2000 年汛末潼关高程不清淤条件下为 328.57 m,实际清淤情况下是 328.33 m,少抬高 0.24 m,表明射流清淤对降低潼

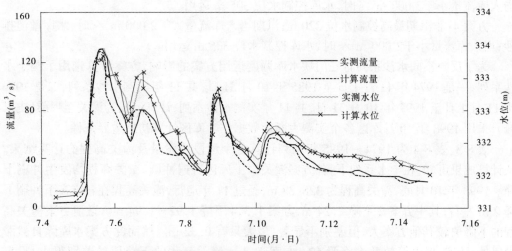

图 8-7　朝邑站流量、水位计算值与实测值的比较

关高程是起作用的。

　　需要说明的是,用数学模型来计算整个库区河道冲淤是比较可靠的,但用来估算潼关高程一个点的变化,准确性可能会降低。

表 8-2　　　　　　　库区各河段平均冲淤量及潼关高程清淤与未清淤结果比较　　　　（单位:亿 m³)

方案	时段	测验断面编号					2000 年汛末潼关高程(m)
		1~22	22~31	31~36	36~41	1~41	
实测值 （清淤）	汛期	−0.204	−0.630	−0.189	0.008	−1.015	328.33
	非汛期	0.327	0.882	0.282	0.019	1.510	
	运用年	0.123	0.252	0.093	0.027	0.495	
计算值 （无清淤）	汛期	−0.201	−0.629	−0.202	0.035	−0.997	328.57
	非汛期	0.324	0.874	0.284	0.025	1.507	
	运用年	0.123	0.245	0.082	0.060	0.510	

三、三门峡水库运用方案计算

　　小浪底水库运用后,为研究对库区冲淤和潼关高程有利并同时适当发挥三门峡水库综合利用效益的运用方式,提出以下四个典型运用方案[1]。

　　方案 1:根据"四省会议"精神,非汛期控制水位 310 m;汛期当入库流量大于2 000 m³/s时,水库敞泄排沙,当入库流量小于2 000 m³/s时,水库控制水位 305 m 运用。

　　方案 2:全年敞泄运用。

　　方案 3:非汛期控制水位 315 m;汛期当入库流量大于2 000 m³/s时,水库敞泄排沙;

　　❶　黄委会水利科学研究院.小浪底水库运用初期三门峡水库运用方式研究.2002

当入库流量小于 2 000 m³/s 时,水库控制水位 305 m 运用。

方案 4:非汛期最高控制水位 320 m;汛期当入库流量大于 2 000 m³/s 时,水库敞泄排沙;当入库流量小于 2 000 m³/s 时,水库控制水位 305 m 运用。

为了反映不同水沙系列对三门峡水库调度运用方案的影响,方案计算选用了两个水沙系列:一是 1974 年 11 月 1 日至 1985 年 10 月 31 日,共 11 年实测水沙系列,二是 1986 年 11 月 1 日至 1997 年 10 月 31 日,共 11 年实测水沙系列,计算河段为潼关至坝前(史家滩),采用 1998 年 10 月库区各个实测大断面数据作为库区计算初始边界条件。

表 8-3、表 8-4 为 1974~1985 年系列计算各个河段冲淤量及潼关高程的计算结果。从计算成果可知,在丰水系列下,各方案潼关以下库区普遍冲刷,潼关高程均发生冲刷下降。1998 年 10 月底,潼关高程为 328.28 m,经过 11 年运行,潼关高程在各方案下冲刷下降 2 m 左右,其中方案 2 下降 2.24 m,方案 1、3、4 下降 1.92~1.94 m。敞泄方案潼关高程的下降值较其他方案大,但差别不显著,最大只有 0.32 m。然而此方案水库除自然滞洪以外,防凌、发电等效益都将没有。方案 1、3、4 潼关高程的下降值的差别很小,只有 0.1 m。

表 8-3 　　　　　**不同方案(1974.11.1~1985.10.31)累计冲淤量计算** 　　　　（单位:亿 m³）

方案	黄淤 36~41	黄淤 31~36	黄淤 22~31	黄淤 1~22	黄淤 1~41	潼关高程(m)
1	− 0.239 5	− 0.450 5	− 0.803 7	− 0.920 9	− 2.414 6	326.34
2	− 0.364 7	− 0.703 6	− 0.928 8	− 1.051 1	− 3.048 1	326.04
3	− 0.220 1	− 0.405 0	− 0.733 4	− 0.869 8	− 2.228 3	326.35
4	− 0.201 7	− 0.385 6	− 0.615 2	− 0.817 5	− 2.020 1	326.36

表 8-4 　　　　**不同方案(1974.11.1~1985.10.31)汛期、非汛期累计冲淤量计算结果**（单位:亿 m³）

方案	时段	黄淤 36~41	黄淤 31~36	黄淤 22~31	黄淤 1~22	黄淤 1~41
1	汛期	− 1.559 4	− 4.429 9	− 6.095 8	− 5.212 0	− 17.297 1
	非汛期	1.319 9	3.979 4	5.292 1	4.291 1	14.882 5
	水文年	− 0.239 5	− 0.450 5	− 0.803 7	− 0.920 9	− 2.414 6
2	汛期	− 1.616 6	− 4.540 2	− 4.736 0	− 4.344 5	− 15.237 3
	非汛期	1.251 9	3.836 6	3.807 2	3.293 4	12.189 2
	水文年	− 0.364 7	− 0.703 6	− 0.928 8	− 1.051 1	− 3.048 1
3	汛期	− 1.543 3	− 4.474 2	− 6.169 0	− 5.206 6	− 17.393 0
	非汛期	1.323 2	4.069 2	5.435 6	4.336 8	15.164 8
	水文年	− 0.220 1	− 0.405 0	− 0.733 4	− 0.869 8	− 2.228 3
4	汛期	− 1.584 2	− 4.480 9	− 6.183 8	− 5.185 1	− 17.434 0
	非汛期	1.382 4	4.095 3	5.568 6	4.367 6	15.413 9
	水文年	− 0.201 7	− 0.385 6	− 0.615 2	− 0.817 5	− 2.020 1

表 8-5、表 8-6 为 1986～1997 年系列计算各个河段冲淤量及潼关高程的计算结果。由成果可知,在枯水系列下,除全年敞泄运用方案 2 以外,其他各方案潼关至坩埼河段都处于淤积状态。经过 11 年运行,在方案 2 中,潼关高程为 327.65 m,较 1998 年汛末下降 0.63 m;其他方案,潼关高程均在 328.2 m 左右。相对而言,方案 1 较低,方案 4 较高,但差别也只有 0.09 m。方案 2 与方案 4,潼关高程相差 0.61 m。计算结果表明,在枯水系列下,水库的运用方式在各计算方案中对水库的冲淤和潼关高程的升降有一定的影响,但影响也相当有限。

表 8-5　　　　不同方案(1986.11.1～1997.10.31)累计冲淤量计算结果　　（单位:亿 m³）

方案	黄淤 36～41	黄淤 31～36	黄淤 22～31	黄淤 1～22	黄淤 1～41	潼关高程(m)
1	0.075 4	0.220 5	− 0.482 4	− 0.677 8	− 0.864 3	328.17
2	− 0.098 2	− 0.086 2	− 0.527 0	− 0.734 5	− 1.446 1	327.65
3	0.088 4	0.233 7	− 0.453 0	− 0.538 7	− 0.669 5	328.20
4	0.099 2	0.253 4	− 0.412 3	− 0.457 9	− 0.517 6	328.26

表 8-6　　　不同方案(1986.11.1～1997.10.31)汛期、非汛期累计冲淤量计算结果（单位:亿 m³）

方案	时段	黄淤 36～41	黄淤 31～36	黄淤 22～31	黄淤 1～22	黄淤 1～41
1	汛期	− 0.369 0	− 2.354 3	− 5.381 8	− 6.247 9	− 14.352 9
	非汛期	0.444 3	2.574 8	4.899 3	5.570 2	13.488 6
	水文年	0.075 4	0.220 5	− 0.482 4	− 0.677 8	− 0.864 3
2	汛期	− 0.500 5	− 2.404 5	− 4.401 1	− 2.959 5	− 10.265 7
	非汛期	0.402 3	2.318 3	3.874 1	2.225 0	8.819 6
	水文年	− 0.098 2	− 0.086 2	− 0.527 0	− 0.734 5	− 1.446 1
3	汛期	− 0.367 9	− 2.350 6	− 5.373 2	− 6.235 6	− 14.327 3
	非汛期	0.456 4	2.584 3	4.920 2	5.696 9	13.657 8
	水文年	0.088 4	0.233 7	− 0.453 0	− 0.538 7	− 0.669 5
4	汛期	− 0.367 7	− 2.337 1	− 5.345 2	− 6.186 2	− 14.236 2
	非汛期	0.466 9	2.590 5	4.932 8	5.728 3	13.718 6
	水文年	0.099 2	0.253 4	− 0.412 3	− 0.457 9	− 0.517 6

通过上述两个不同水沙系列的计算可知,如果三门峡水库采用敞泄运用(方案 2),库区和潼关高程都将发生冲刷下降,而且在丰水系列中冲刷下降多,在枯水系列冲刷下降少。说明潼关高程的升降主要取决于该时期的水沙条件,尤其取决于汛期水量或者说洪水期水量的大小,这与水库多年运用的实际结果相符合。同时,由计算结果还可以看出,方案 2 与其他方案相比较,就水库沿程冲淤变化来说,坝前段冲淤变化较大,向上逐渐减弱,两种水沙系列计算成果潼关高程仅差 0.3～0.6 m。非汛期运用水位,方案 3 比方案 1 高,方案 4 比方案 3 高,非汛期淤积主要部位有所不同,但方案 1、方案 3、方案 4 主要淤积部位均在北村与大禹渡之间。汛期采用平水发电,遇到洪水时,入库含沙量较高,此时,水库降低水位,停止发电,以提高水库排沙能力。各方案计算结果表明,在大禹渡以下河段,汛期沿程冲刷量与非汛期沿程淤积量有关,非汛期淤积越多,汛期冲刷量就越大。反之,

非汛期淤积越少,汛期冲刷量就越小。也就是说,大禹渡以下河段是三门峡水库泥沙调节库容。从汛期和非汛期运用方式的综合计算结果看,这三种方案计算结果主要差别在大禹渡以下河段,各方案计算库区冲淤分布的差别自下向上的影响逐渐减少,对潼关至垆埝河段影响更小。综合分析,水库采用方案4可以在不影响潼关附近河段冲淤变化的条件下,比较好地发挥三门峡水库的综合效益。

四、小浪底水库运用方案计算❶

小浪底水库运用方案为水库初期运用前3~5年,水库拦沙初期实行以调控流量方式进行调度,即每年10月1日至次年7月10日为蓄水调节期,在预留防凌库容后按供水、灌溉和发电要求进行水库径流调节,主汛期7月11日~9月30日水库实行以调水为主调水调沙运用方式。小浪底水库计算方案4个,水库均以调控流量方式运用,各方案计算均采用设计潼关断面1978~1982年水沙系列,各方案特征指标见表8-7,小浪底水库初期运用5年,各个方案计算库区淤积量、淤积物级配及主汛期排沙比成果见表8-8、表8-9。

表8-7 小浪底水库不同运用方案特征值

方　案	采用系列(年)	调控上限流量 (m^3/s)	调控库容 $(亿\,m^3)$	起始运用水位 (m)	主汛期(月·日)
1	1978~1982	2600	8	210	7.11~9.30
2	1978~1982	3 700	13	210	7.11~9.30
3	1978~1982	2 600	5	210	7.11~9.30
4	1978~1982	2 600	5	210	7.11~9.30

表8-8 小浪底水库不同运用方案库区淤积及排沙情况比较方案

方案		1	2	3	4
调控库容(亿 m^3)		8	13	5	5
库区累积冲淤量(亿 m^3)		28.217	29.589	28.207	28.136
淤积物级配 （%）	细沙	40.8	42.9	40.6	40.5
	中沙	30.9	29.8	30.8	30.8
	粗沙	28.3	27.2	28.6	28.7
主汛期排 沙比(%)	全沙	19.1	14.6	19.4	19.6
	细沙	36.8	28.3	37.2	37.4
	中沙	1.7	0.9	2.0	2.2
	粗沙	0	0	0	0

---

❶ 黄委会水利科学研究院.潼关至利津数学模型开发及在小浪底运用方式研究中的应用.2000

表 8-9

方案	年均冲淤量(亿 m³)				第 4 年汛末淤积末端断面号	主汛期平均水位(m)
	干流 37~56	干流 0~37	支流	全库区		
1	0.564	3.973	1.106	5.643	49	222.67
2	0.702	4.130	1.086	5.918	51	226.12
3	0.490	4.087	1.065	5.641	49	220.37
4	0.515	4.043	1.068	5.627	50	221.06

不同方案库区冲淤情况统计(5 年)

可以看出,随着方案 3、方案 1、方案 2 调控库容依次增大,相应主汛期平均库水位也不断升高,从而造成库区总淤积量及细沙淤积比例也不断增加。方案 4 和方案 3 的运用方式差别较小,计算结果显示,水库运用 5 年累积冲淤量分别达 28.136 亿 m³ 和 28.207 亿 m³,应该说二者淤积量大致相同。从淤积部位上看,干流 37 断面以上淤积量方案 2 最大,方案 1 和方案 4 次之,方案 3 最小。支流总淤积量方案 1 较方案 2 为大,方案 4 和方案 3 的支流总淤积量大致相同,但比前两个方案稍偏小。从库区干流淤积末端位置来判断,方案 2 回水淤积范围较远,其次为方案 4,方案 1 和方案 3 较近,但各方案的回水淤积末端均不会影响三门峡水电站的尾水位。统计小浪底水库运用前 5 年不同方案平均库水位可知,方案 1 和方案 2 分别为 243.12 m 和 246.11 m,方案 2 的平均库水位较方案 1 高出 3 m;方案 3 和方案 4 分别为 241.26 m 和 243.24 m,方案 4 比方案 3 库水位平均抬高近 2 m,说明方案 4 的发电量较方案 3 要大,方案 4 与方案 3 从多方面比较,前者为优。综合起来看,由于方案 1 调控库容适中,加之其他方面也较好,故我们认为方案 1 相对较好。

从表 8-9 还可看出,4 个方案库区淤积物级配范围为:细沙占 41%~43%,中沙占 30%~31%,粗沙占 27%~29%。4 个方案入库泥沙级配相同,入库细、中、粗沙比例分别为 51%、26% 和 23%。二者相比表明,水库初期运用,各级泥沙均大量淤积,但相对入库泥沙级配而言,水库达到了"拦粗排细"的效果。同时,调控库容大的方案其淤积物级配偏细一些。值得一提的是,由于水库初期运用起始运用水位 210 m 以下的库容(起始时达 15.2 亿 m³)较大,虽然主汛期水库的调控库容差别较大,但水库的蓄水体在同一时段不同方案间的差别相对较小,从而导致了各方案间库区总冲淤量及沿程分布、淤积物级配、水库排沙比等方面的差别不是很大。

五、黄河下游河道方案计算及分析

黄河下游河道计算方案与上述小浪底水库运用方案相对应,采用 1978~1982 年 5 年设计水沙系列,包括无小浪底水库调节及小浪底水库在不同运用方式下进入下游的水沙条件,采用 1996 年汛后黄河下游统测大断面作为计算的初始条件。

表 8-10 汇总了各个方案全下游及艾山至利津河段 5 年累计的全年、汛期、非汛期冲淤量,表中冲淤效率指标是指某时段平均单位来水量对全下游或某一河段引起的冲淤量,冲淤效率单位为 10^6 t/亿 m³。

表 8-10　　　　　　　　　有、无小浪底水库下游河道冲淤计算成果统计

计算方案	调节库容(亿 m³)	调控流量(m³/s)	起始水位(m)	全下游冲淤量(亿 t)			艾利段冲淤量(亿 t)			冲淤效率(10⁶ t/亿 m³)
				汛期	非汛期	全年	汛期	非汛期	全年	下游
无小浪底水库调节				12.39	−1.13	11.26	−1.50	2.54	1.04	0.613
1	8	2 600	210	−9.35	−3.45	−12.80	−1.12	0.21	−0.91	−0.701
2	8	2 600	220	−9.66	−4.36	−14.02	−1.26	0.19	−1.07	−0.765
3	13	3 700	210	−9.35	−4.14	−13.49	−1.16	0.19	−0.97	−0.739
4	13	3 700	220	−10.62	−3.68	−14.28	−1.31	0.18	−1.13	−0.780

可以看出,在无小浪底水库调节的情况下,黄河下游河道(指铁谢—利津河段,下同)1978~1982 年 5 年间累计淤积 11.26 亿 t,年均 2.25 亿 t,各年冲淤量分别为 4.94 亿 t、2.96 亿 t、1.15 亿 t、2.84 亿 t、−0.62 亿 t。由于第一年来沙量大,所以淤积最为严重,该年度淤积量占总淤积量的 43.8%。从沿程冲淤分布来看,铁谢—花园口河段淤积 2.40 亿 t,年均 0.48 亿 t;花园口—高村 5.57 亿 t,年均 1.11 亿 t;高村—艾山 2.25 亿 t,年均 0.45 亿 t;艾山—利津 1.04 亿 t,年均 0.21 亿 t。

由于在小浪底水库起始运用水位相应库容淤满前水库主要以异重流方式排沙,因而进入下游河道的沙量尤其是粗、中粒径泥沙将明显减少,下游河道将出现持续冲刷状态。从 4 个方案的计算结果看,整个下游河道和艾山—利津河段,5 年累积分别冲刷 12.80 亿~14.28 亿 t 和 0.91 亿~1.12 亿 t,全下游和艾山—利津河段 5 年分别减淤 24.06 亿~25.54 亿 t 和 1.95 亿~2.16 亿 t,年均减淤分别为 4.81 亿~5.11 亿 t 和 0.39 亿~0.43 亿 t。方案 1 至方案 4 的减淤比分别为 1.55:1、1.51:1、1.53:1 和 1.54:1。

各方案的计算结果还显示,下游冲刷主要集中在高村以上河段,占全下游总冲刷量的 71%~77%,艾山—利津河段的冲刷量仅占全下游总冲刷量的 7% 左右。小浪底水库运用前 5 年,下游河道主汛期、非汛期均呈冲刷状态(表 8-4~表 8-6),主汛期冲刷量明显大于非汛期。艾山—利津河段非汛期 5 年累积淤积 0.18 亿~0.21 亿 t,但与无小浪底水库调节相比,该河段非汛期仍明显减淤,年均减淤量达 0.47 亿 t。

调控库容 8 亿 m³,调控上限流量 2 600 m³/s 的方案 1、方案 2,起始运用水位分别为 210 m 和 220 m。方案 2 的 5 年累积全下游减淤量比方案 1 大 1.22 亿 t,艾山—利津河段减淤量比方案 1 偏大 0.16 亿 t。从水库拦沙减淤比来看,两个方案基本接近。调控库容 13 亿 m³,调控上限流量 3 700 m³/s 的方案 3、方案 4,起始运用水位也分别为 210 m 和 220 m,从 5 年累积全下游减淤量看,方案 4 和方案 3 分别为 25.54 亿 t 和 24.75 亿 t,方案 4 偏大。艾山—利津河段减淤量分别为 2.16 亿 t 和 2.01 亿 t,方案 4 比方案 3 多减淤 0.15 亿 t。两方案的水库拦沙减淤比分别为 1.54:1 和 1.53:1,可以说二者基本相同。从全下游及艾利河段的冲淤效率来看,起始运用水位 220 m 与 210 m 相比,前者的数值均大于后者。综合来看,对于调控库容和调控流量均相同而起始运用水位不同的方案,起始运用水位 220 m 比 210 m 对全下游和艾山—利津河段的冲刷和减淤稍微有利。

采用2 600 m³/s(方案1、方案2)或3 700 m³/s(方案3、方案4)的调控流量,全下游的减淤比大致相同。调控流量3 700 m³/s的两个方案,其全下游的减淤量稍大,对艾山—利津河段的减淤作用优于调控流量2 600 m³/s的方案。因此,可以说,调控库容13亿 m³ 及调控流量3 700 m³/s方案比调控库容8亿 m³ 及调控流量2 600 m³/s方案对下游,尤其是艾山—利津河段减淤效果较佳。

参 考 文 献

1　刘善建,麦乔威.黄河下游治理与开发的过程所遇到的泥沙问题.新黄河,1958(4)

2　麦乔威.三门峡水力枢纽的泥沙输问题.新黄河,1955(11)

3　杨洪润.黄河三门峡水库建成后下游河道冲刷的计算方法.水力发电,1956(2)

4　麦乔威,赵业安,潘贤娣.多沙河流拦洪水库下游河床演变计算方法.黄河建设,1965(3)

5　钱宁,麦乔威.三门峡水库低水头运用后黄河下游河床演变预测.见:麦乔威论文集.郑州:黄河水利出版社,1995

6　麦乔威,李保如.龙门以下干流河道冲淤计算方法.见:麦乔威论文集.郑州:黄河水利出版社,1995

7　R.H. Bonczok,C.W. Holsapple, A.B. Winston. Development in Decision Support System〔j〕, Decision Support System,1992(2)

8　HEC－RAS. User′s manual of HEC－RAS river analysis system. USA:US Army Corps of Engineers Hydrologic Engineering Center,1998

9　梁国亭,高懿堂等.非恒定流泥沙数学模型原理及应用.泥沙研究,1999(4)

10　韦直林,赵良奎等.黄河泥沙数学模型研究.武汉水利电力大学学报,1997(3)

11　梁国亭,张仁.黄河小北干流一维分组泥沙冲淤数学模型.人民黄河,1996(9)

12　钱意颖,曲少军等.黄河泥沙冲淤数学模型.郑州:黄河水利出版社,1998

13　韩其为,何明民.泥沙数学模型中冲淤计算的几个问题.水利学报,1988(5)

第九章　二维水沙运动数学模型

黄河是世界上著名的多沙河流,下游河道尤以善淤、善徙出名,是世界上闻名的"地上悬河"。历史上,黄河"三年两决",两岸的人民历来受黄河决口影响,生活多灾多难。因此,对黄河泥沙灾害进行研究,掌握黄河水沙输移演进规律,对分析黄河洪水风险,合理制定黄河防洪减灾对策,减轻黄河水沙灾害,是十分有益的[1~5]。

对黄河水沙运动规律的研究主要有河工模型实验和水沙数学模型两种方法。随着计算机和数值计算技术的发展,对数学模型的开发研究逐步进入高潮。目前,黄河下游水流泥沙数学模型主要有两类:一类是利用水动力学模型和水文学模型计算下游沿程各站流量及含沙量过程、沿程水面线、各河段分组冲淤量及滩槽冲淤量、平滩流量变化、河道断面冲淤调整、断面床沙级配的调整变化、漫滩大洪水的坦化的黄河下游河道冲淤泥沙模型;另一类是计算沿程水位、洪峰流量、洪峰传播时间、沿程流量过程、含沙量过程以及洪水过程中不同河段冲淤量的计算,能够提供计算域内任一点水位、流速、含沙量过程,各水文断面水位、流量过程图、滩区淹没情况图、流场分析图的洪水演进数学模型。第一类数学模型中,以一维或准二维的水动力学模型居多,第二类数学模型一般都为一维或二维非恒定流水沙模型。二维水沙运动模型与一维模型相比有着很多优点,估计在今后一段时期内必将成为数学模型开发的主流,这一点从黄河水利委员会最近的黄河数学模型发展报告中已经得到证实[3,6~11]。

第一节　基本方程与计算方法

二维水动力学模型是以水流、泥沙运动力学和河床演变基本规律为基础建立的,由质量守恒和动量守恒定律推导出水流连续方程、水流运动方程、泥沙连续方程和河床变形方程。

一、水流方程

二维非恒定流水动力学的控制方程在选择不同的物理量做基本状态变量时有着不同的表达形式。以单宽流量和水深为变量的基本方程是:

水流连续方程

$$\frac{\partial H}{\partial t} + \frac{\partial M}{\partial x} + \frac{\partial N}{\partial y} = q \qquad (9-1)$$

水流动量方程

$$\frac{\partial M}{\partial t} + \frac{\partial (uM)}{\partial x} + \frac{\partial (vM)}{\partial y} + gH\frac{\partial Z}{\partial x} + g\frac{n^2 u \sqrt{u^2 + v^2}}{H^{1/3}} = 0 \qquad (9-2)$$

$$\frac{\partial N}{\partial t} + \frac{\partial (uN)}{\partial x} + \frac{\partial (vN)}{\partial y} + gH\frac{\partial Z}{\partial y} + g\frac{n^2 v \sqrt{u^2 + v^2}}{H^{1/3}} = 0 \qquad (9-3)$$

式中：H 为水深；Z 为水位；M 为 x 方向的垂向平均单宽流量；N 为 y 方向的垂向平均单宽流量；u 为垂向平均流速在 x 方向的分量；v 为垂向平均流速在 y 方向的分量；n 为曼宁糙率系数；g 为重力加速度；t 为时间；q 为源汇项。

　　求解上述方程通常有有限差分法、特征法、有限元法和有限体积法。有限差分法以台劳级数展开为工具，对水流运动微分方程中的导数项用差分法来逼近，从而在每一个计算时段可以得到一个差分方程组。一般分为显格式和隐格式两种。根据所用台劳展开式的不同，可以分为一阶、二阶甚至更高阶，也可按格式的性质分为中心及逆风格式两大类。特征法（一维情形也称特征线法）主要是利用沿特征成立的特征方程进行求解。特征方程反映了双曲问题中信息沿特征传播的性质，因而算法符合水流的物理机制。20 世纪 50 年代初林秉南先生首先提出了一维水流计算的特征线法，至今仍在应用与改进。有限元法从 20 世纪 70 年代开始应用于计算水力学中。其原理是分单元对解逼近，使微分方程空间积分的加权残差极小化。但由于有限元法在求解非恒定流水流问题时耗时多，所以迄今为止，有限元法在流体计算中尚未得到广泛应用。有限体积法是将计算域划分为规则或不规则的单元，在计算出通过每个单元边界沿法向输入（或输出）的流量和动量通量后，对每一个单元分别进行水量和动量平衡计算，便可以得到计算时段末各单元的平均水深和流速。

二、泥沙运动方程

　　根据不平衡输沙理论，在考虑泥沙冲淤计算时，应增加泥沙运动方程和河床变形方程。

　　泥沙运动方程

$$\frac{\partial(HS)}{\partial t} + \frac{\partial(HuS)}{\partial x} + \frac{\partial(HvS)}{\partial y} = \varepsilon_s \left[\frac{\partial^2}{\partial x^2}(HS) + \frac{\partial^2}{\partial y^2}(HS) \right] + \alpha\omega(S_* - S)$$

(9-4)

　　河床变形方程

$$\gamma' \frac{\partial B}{\partial t} = \alpha\omega(S_* - S) \tag{9-5}$$

式中：S_*、S 分别为深度平均含沙量与水流挟沙能力；ω 为悬移质泥沙深度平均泥沙沉速；α 为悬移质泥沙恢复饱和系数；ε_s 为悬移质泥沙扩散系数；γ' 为淤积物干容重；B 为地面高程；其余符号与水流模型意义相同。

　　由于水沙数学模型的基本方程不封闭，所以不得不建立一些补充关系来满足方程组解的需求，这也是各家模型的主要差异所在。

第二节　关键问题处理

　　黄河花园口至孙口河段洪水演进水沙运动仿真模型由"八五"攻关开始，至 1997 年底完成，由中国水利水电科学研究院与黄河水利委员会河务局共同研制开发[3]。总模型包括花园口至夹河滩、夹河滩至高村、高村至孙口三个分段模型及花园口至孙口河段一个整体模型,四个模型均可独立运行。花园口至夹河滩河段模型全长 96 km,面积为 842 km²,划分网格 637 个;夹河滩至高村河段,河道全长 193 km,模型总面积 1 427 km²,划分网格 609 个;高村至孙口河段,河道全长 130 km,模型总面积 671km²,划分网格 627 个。模型采用二维不规则网格,利用水位和流量为主要控制变量,并考虑泥沙运动的影响,对 1982 年、1996 年两场典型洪水进行了验证,并在黄河水利委员会的防汛演习中得以应用。

一、基本方程

该模型以水深和单宽流量作为变量,基本方程包括水流方程和泥沙方程,参见上节中的公式(9-1)～公式(9-5)。

二、水流控制方程的简化与离散方式

(一)基本状态变量的布置方式

在网格的形心计算水深与底高的冲淤变化,在网格周边通道上计算垂向单宽流量,同时,水深与流量在时间轴上分层布置,交替求解。

(二)不规则网格连续方程的离散化解法

将式(9-2)、式(9-3)代入式(9-1),并对计算域进行面积分,依据高斯定理改写等式左边,可得

$$\int_A \frac{\partial H}{\partial t} dA + \oint_l (H\vec{u} \cdot \vec{n}) dl = \int_A q dA \tag{9-6}$$

令 $Q = H\vec{u}\vec{n}$,则 Q 为任意 $\vec{n}$ 方向垂向平均单宽流量,当 $\vec{n}$ 取为 x、y 方向的单位向量时,Q 即为 M、N。假设水深 H 随时间的变化在一个有限的网格内差异很小,则式(9-6)可简化为

$$A \frac{\partial H}{\partial t} + \oint_l Q dl = Aq \tag{9-7}$$

对任一 K 边形网格,上式可改写为

$$A \frac{\partial H}{\partial t} + \sum_{k=1}^{K} Q_k L_k = Aq \tag{9-8}$$

对于不规则网格,如果将 Q 转化成 M 或 N 的形式求解,计算量较大。由于本模型选择了定义在通道上的流量作为状态变量,假设经过一定处理,在通道上的流量可近似看成是水流的法向通量,所以对于任一网格,如果假设 Q 流入为正,流出为负,则连续方程对 i 网格的显式离散化方程可写成

$$H_i^{T+2DT} = H_i^T + \frac{2DT}{A_i} \sum_{k=1}^{K} Q_{ik}^{T+DT} + 2DTq^{T+DT} \tag{9-9}$$

上式表明,在已知网格 T 时刻水位的情况下,为求出网格 $T+2DT$ 时刻的水位,只要合理确定网格周边通道上 $T+DT$ 时刻的单宽流量 Q 即可。

(三)不同类别通道上流量的计算方法

考虑到河道主槽、滩地的洪水流动状态的差别,所以,本模型将通道分为河道型、滩地型、有堤型(连续堤、有缺口堤等),分别采取不同的简化措施,计算出的流量就可近似看作

通道的垂向平均单宽流量。

1.河道型通道

河道型通道设在主槽中,动量方程中保留局地加速度项、重力项与阻力项,则动量方程的离散化形式为

$$Q_j^{T+DT} = Q_j^{T-DT} - 2DT \times gh_j \frac{Z_{j2}^T - Z_{j1}^T}{DL_j} - 2DT \times g \frac{n^2 Q \mid Q \mid}{h_j^{7/3}} \tag{9-10}$$

式中:h_j 为 j 通道上的平均水深。由下式计算:

$$h_j = (DC_{j1} H_{j2}^T + DC_{j2} H_{j1}^T)/DL_j \tag{9-11}$$

式中:DC_{j1}、DC_{j2} 分别为 j 通道两侧网格形心到通道中点的距离;DC_j 为空间步长,等于 DC_{j1}、DC_{j2} 之和。当网格间高差较大时,h_j 改为下式计算:

$$h_j = \left[DC_{j1}(Z_{j2}^T - B_m) + DC_{j2}(Z_{j1}^T - B_m) \right]/DL_j \tag{9-12}$$

2.滩地型通道

漫滩洪水传播主要受重力与阻力的作用,可按扩散波处理,其动量方程的离散化形式简化为

$$Q_j^{T+DT} = \text{sign}(Z_{j1}^T - Z_{j2}^T) h_j^{5/3} (\frac{\mid Z_{j2}^T - Z_{j1}^T \mid}{DL_j})^{1/2} \cdot \frac{1}{n} \tag{9-13}$$

式中: DL_j 为空间步长,是指相邻网格形心距在通道法线方向的投影。当滩地上的水深达到一定深度后,滩地上的行洪状态就等同于河道主槽,通道上的流量计算就转换为式(9-12)的算法。

3.阻水建筑物型通道

对有阻水建筑物的通道,可分别概化为连续堤防、有缺口堤防或有桥涵的堤防几种情况,采用适当的经验公式计算。

(1)对连续堤防,采用宽顶堰公式进行计算。

$$Q_j^{T+DT} = \sigma m \sqrt{2g} h_j^{3/2} \tag{9-14}$$

式中:σ 为宽顶堰淹没出流系数;m 为宽顶堰流量系数。

(2)对有缺口的堤防,分别考虑缺口段和非缺口段,计算方法同上。

(3)对有桥涵的堤防,在无压流的情况下,计算方法与有缺口的堤相同;在有压流情况下,引入孔口出流的公式

$$Q_j^{T+DT} = \text{sign}(Z_{j1}^T - Z_{j2}^T) \cdot 0.699\,8e \sqrt{2gh_*} \tag{9-15}$$

式中: e 为孔高;h_* 为特征水头。

三、泥沙冲淤计算

对泥沙运动方程的求解步骤为:①对泥沙运动方程略去等式右边的非平衡项与扩散项,求得网格间随水流交换引起的含沙量变化;②由扩散项求解网格间因含沙量浓度梯度的差异而引起的泥沙交换;③由挟沙力公式计算各网格的水流挟沙能力;④考虑非平衡输沙项,将河床变形方程与经验方法结合起来,估算泥沙冲淤量,再对已算出的含沙量中间结果作修正,以得出新一时刻的网格平均含沙量值,并确定该时段的冲淤深度;⑤根据冲

淤深度对各网格的水深、平均高程、累计冲淤深度进行修正;⑥求滩槽冲淤变化的各种统计值;⑦根据各堤防类型通道两侧新的网格高程判断对堤防缺口底高程和堤防高程的修正。

对泥沙运动方程(9-4),先暂时不考虑等式右边的非平衡项与扩散项,对等式左端进行面积分,可得

$$\int_A \frac{\partial HS}{\partial t} dA + \oint_l (HS\vec{u} \cdot \vec{n}) dl = 0$$

将其离散化整理后,得

$$S_i^1 = \frac{H_i^0}{H_i^1} S_i^0 + \sum_{k=1}^{K} \overline{Q}_{ik} L_{ik} S_{ik} DT_s / (A_i H_i^1)$$

由泥沙运动方程的扩散项求网格含沙量

$$S_i^2 = S_i^1 + \varepsilon_s \frac{DT_s}{A_i \overline{H}_i} \sum_{k=1}^{K} \frac{H_{k1}^1 S_{k1}^1 + H_{k1}^0 S_{k1}^0 - H_{k2}^1 S_{k2}^1 - H_{k2}^1 S_{k2}^0}{2DL_k} L_k$$

由武汉水利电力学院公式计算水流挟沙能力

$$S_* = K \left(\frac{U^3}{gH\omega_s} \right)^m$$

第三节　应用实例一:
黄河花园口至孙口河段洪水演进水沙运动仿真模型[8]

利用该模型对黄河下游 1982 年及 1996 年洪水进行了验证。下面以 1996 年洪水为例进行说明。

1996 年 8 月 5 日、13 日花园口出现两次洪峰,洪峰流量分别为 7 860 m^3/s 与 5 560 m^3/s,最大含沙量 126kg/m^3。

一、初始条件

(1)1/50 000 地形图。该图于 1993 年汛后测绘。由于"96·8"洪水的前一次较大洪水发生在 1992 年,因此,该图为模型的网格设计及确定滩地高程与糙率提供了可靠的依据。

(2)河道大断面图。1996 年黄河下游汛前 5 月、汛后 9 月、10 月进行的河道大断面的测量。花园口至夹河滩之间有来童寨、黑岗口、柳园口、曹岗等 10 个大断面图;夹河滩至高村之间有东坝头、禅房、油房寨、河道等 8 个大断面图;高村至孙口之间有高村、南小堤、孙口等 14 个大断面图。这些河道断面图作为确定河底高程与判断河道冲淤计算合理性的依据。断面之间的网格河底高程由河道比降插值给出。

(3)天然文岩渠实测堤防与河底高程纵断面图。该图被用于确定天然文岩渠滩地一侧各通道的堤防高程与各网格的河底高程。

(4)滩地中生产堤的位置与高程由各图查取,相互补充。生产堤的溃决情况参考《"96·8"洪水基本资料汇编》、《"96·8"洪水黄河下游滩区进退水、落淤情况统计表》及

《"96·8"洪水黄河下游滩区进退水位置图》确定,但表中部分资料的时间与地点不够详尽。

二、边界条件

花园口、夹河滩、高村与孙口分别设有水文站,汛期有较详细的水位、流量与泥沙观测资料,正好可为三个分段模型的验证提供出入口断面的边界条件。

验证的计算时段定为1996年7月20日8时至8月15日8时,包括了过境洪峰的主要过程,有关水文、泥沙资料引自1996年黄河水文数据库。

(1)入口边界条件取花园口、夹河滩、高村断面的流量—时间过程与含沙量—时间实测过程。实测资料是不等时间距的,为模型设计简便,计算前先利用专门开发的数据转换软件将流量、含沙量资料换算成1小时等时间距的过程。

(2)出口边界条件采用专门设计的水位—流量关系方法计算出口边界流量,并可利用夹河滩、高村、孙口断面的实测流量—时间过程与计算值的差进行内部参数如主槽糙率、出口流量系数的实时校正。当计算流量大于实测流量而水位低于实测水位时,减小出口流量系数,反之亦然;当计算流量小于实测流量而计算水位高于实测水位时,在合理范围内减小主槽糙率,反之亦然,使之形成一种自我调节系统。

三、"96·8"洪水验证结果的比较

(1)淹没范围的比较。能提供参考的1996年洪水淹没范围标志在1/50 000河道地形图上,该图仅为轮廓性示意图,未能反映淹没范围内的水深分布情况。经比较,计算淹没范围与实际调查范围基本吻合,而计算图更详细给出了整个计算域上的最大水深分布,说明计算结果可靠并且实用。

(2)流量、水位与含沙量过程的比较。计算域内夹河滩、高村及孙口有连续的流量、水位观测资料,因此可对这三个断面进行比较。

由流量过程及水位过程的比较可看出,洪峰从花园口演进到孙口的过程中,由于洪峰前期小流量高含沙洪水引起主槽严重淤积,行洪能力下降,第一洪峰进滩流量较大,峰值流量沿程消减,洪峰变形显著。特别是第三个河段,第一个洪峰到来时,大量洪水进滩,削峰严重,使得高村以下主槽断面过洪流量明显减少;由于第一洪峰的淤滩刷槽作用,主槽行洪能力得以恢复,加之部分洪水沿滩行洪后回归主槽,与主槽第二个洪峰叠加,形成了高村断面洪峰过程推迟出现,双峰合一的严重变形情况。

计算结果说明模型基本合理地反映了洪水期间生产堤溃决与主槽冲淤状况对洪水演进的影响,并说明模型的实时校正功能是行之有效的。

(3)滩区最高水位分布的比较。在1/50 000地形图上,根据《"96·8"洪水黄河下游滩区进退水、落淤情况统计表》提供的沿黄大堤的最高水位记录,进行黄河大堤沿岸最高水位比较。表9-1、表9-2分别为花园口至夹河滩及夹河滩至高村河段重要险工与控导工程的最高计算水位与实测值的比较。

表 9-1 **"96·8"洪水花园口至夹河滩沿程水位比较** （单位:m）

地名	计算最高水位	实测最高水位	误差
花园口闸	95.558	95.230	0.328
花园口水文站	95.290	94.730	0.560
马渡	92.412	92.470	−0.058
扬桥	90.091	91.135	−0.223
赵口闸	88.820	89.520	−0.700
九堡	88.047	88.120	−0.073
九堡下延	87.488	87.560	−0.072
黑岗口闸	83.721	84.300	−0.579
柳园口闸	82.651	82.770	−0.119
府君寺	78.549	78.840	−0.291
双井	93.864	93.670	0.194
武庄	90.640	90.260	−0.196
大张庄	85.006	84.920	0.086
古城	79.472	79.620	−0.148

注:大沽高程。

表 9-2 **"96·8"洪水夹河滩至高村沿程水位比较** （单位:m）

地名	计算最高水位	实测最高水位	误差
东坝头	74.63	74.61	−0.02
禅房	73.99	73.90	−0.09
大留寺	71.10	70.96	−0.04
周营	69.04	69.12	0.08
堡城	65.96	66.26	0.30

注:大沽高程。

(4)滩槽冲淤变化比较。黄河下游洪水期间一般不作河道变形的测量,汛期前后大断面测量因与计算时间相隔较远,也不能作为定量比较的依据。从定性的分析来看,可以认为:①计算结果充分体现了洪峰期间淤滩刷槽的现象,主槽中出现了一条清晰的连续的冲刷槽,与实际情况相近。②根据实测资料,"96·8"洪水期间,泥沙冲淤主要分布在生产堤间嫩滩上,而生产堤外滩地的淤积量很少。计算结果表明泥沙淤积也是绝大多数分布在生产堤间的滩地上,嫩滩淤积厚度大都在 0.3~1.0 m,部分在 1.0~2.0 m,老滩淤积厚度为 0.2~0.5 m。③主槽与嫩滩冲淤幅度的量级是合理的,主槽冲刷深度约为 0.5~1.5 m,部分河段为 1.5~2.5 m。④主槽网格在洪峰期间存在冲淤交替的现象,如前期高含沙小流量期间严重淤积,洪峰期间转入冲刷,洪峰后期又有所淤积等。

第四节 应用实例二:黄河下游山东段堤防保护范围研究[6]

该模型是在黄河下游花园口至孙口河段水沙仿真模型的基础上开发而成的。模型首先对 1996 年洪水进行了验证,然后选取 10 种溃堤方案进行计算,得出了每种方案的淹没影响范围,最后根据 10 种方案的淹没的范围包络图,得出了黄河下游山东段堤防的保护范围。

一、模型验证

本次计算以 1996 年 8 月实际发生的洪水作为验证条件。计算范围上起黄河艾山断面,下至河口清 1 断面,南以泰山等为界,北至徒骇河,全部面积约为26 367.7km²。将整个计算域进行不规则网格剖分后,网格总数为1 893个,黄河河道网格 186 个。为保证研究结果的真实可靠,本研究首先对黄河河道进行了验证,依据的是 1996 年汛前的河道地形资料。

初始条件包括河道地形、堤防状况、水流条件等。以 1/100 000河道地形图作为网格设计和糙率确定的依据,以河道大断面图作为确定河底高程的依据,以 1983 年堤顶现有高程作为确定堤防高程的依据。先用艾山断面的流量的初始值作为恒定流形式放水一天,以一天后的水位、流量作为计算的初始条件。验证的计算时段为 1996 年 7 月 26 日 8时至 8 月 26 日 8 时,入口边界条件取艾山的流量过程,出口边界条件取西河口断面的水位过程。

图 9-1、图 9-2 和图 9-3 提供了利津站的实测和计算水位、流量的对比过程线以及梯子坝站的实测和计算水位。

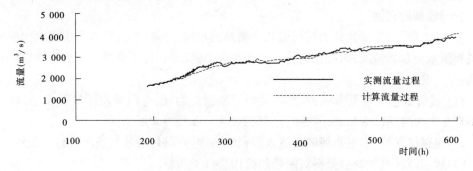

图 9-1 利津站实测流量与计算流量过程线

从图中可以看出实测值和计算值在峰值和相位的吻合上都达到了令人满意的程度。这表明河道模型是可靠的,为溃堤模型的建立打下了良好的基础。

二、方案计算

为了确定堤防的保护范围,可以这样设想:如果没有该段堤防,当发生洪水时,洪水必将淹没一定区域;而当堤防修建后,再发生相同洪水时,这些区域就不会再被洪水淹没或者是受灾减轻。因此,这些区域就是被该段堤防所保护的范围。但是,实际计算中不可能

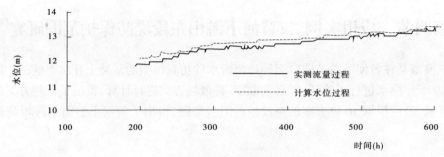

图 9-2　利津站实测流量与计算水位过程线

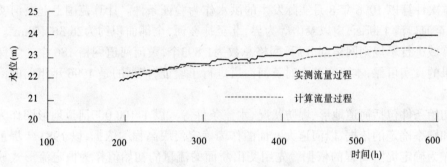

图 9-3　梯子坝站实测流量与计算水位过程线

选取很多方案,拟选定堤防的南、北两岸的上、中、下游 10 个不同位置作为典型代表,计算在设计洪水条件下每一位置处堤防溃决后的淹没范围及淹没水深,再取这 10 个方案计算出的不同的淹没范围,计算出这 10 个范围的包络线,在该包络线内的区域都属于堤防的保护范围。

(一)模型的调整

由于验证模型主要验证黄河河道几个测站的水位、流量过程,没有考虑滩区内的地形资料和阻水建筑物情况,因此在进行方案计算前,将模型进行了调整。主要包括以下几个方面:

(1) 计算范围上延至陶城铺,北扩至漳卫新河。为此,专门开发了拼接模型,将计算域面积扩大为 31 542.8 km²,网格扩充为 2 268 个。如图 9-4 所示。

(2)根据徒骇河、漳卫新河的河底高程资料和堤防资料,对这两条河进行了调整。

(3)根据滩区内的地形资料对网格的高程进行了调整。

(4)根据滩区内的渠道、堤防、闸门、公路、铁路、村庄的位置和高程对通道的高程进行了调整。

(5)因为无水位流量关系,根据黄河山东段艾山的设计泄洪能力为 10 000m³/s,所以假设一入流过程线,其中陶城铺的最大洪峰流量不超过 10 000m³/s。

(6)出口边界条件通过曼宁公式来模拟,即单宽流量 $q = \dfrac{1}{n} R^{5/3} i^{1/2}$,式中,$n$ 为出流网格的糙率,R 为通道的水力半径,i 为河底坡降。由于黄河下游坡降较小,用这个公式进行模拟影响不大。

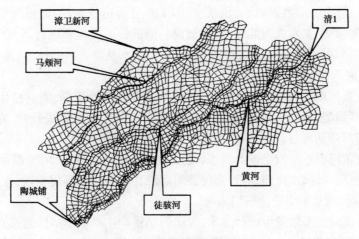

图 9-4　计算域网格图

(7) 糙率的选取。根据网格的类型以及网格内田地、村庄、房屋、水面等地形所占面积的比例,来确定网格的糙率。参照以往的经验和黄河下游的实际特征,计算中采用的糙率大致为:水面 0.03,滩地 0.06,村庄 0.07,树林 0.065。另外,考虑到水深变化对糙率的影响,计算中认为随水深增加,糙率减小并趋于一恒定值。

(二)计算方案与结果

依据设计思路,根据堤防的实际情况,我们选取了堤防的 10 个不同位置,并进行了方案计算,10 个方案的不同决口位置如图 9-5。

方案 1:黄河山东段发生设计洪水,北岸陶城铺险工处(4 075 号通道)溃堤,河道糙率为 0.03。在第 8 小时,强制溃堤,洪水先向北行,遇徒骇河后沿徒骇河南堤顺堤行洪,在第 336 小时,洪水从第 2 437 号堤防漫过徒骇河,洪水主要沿徒骇河入海。

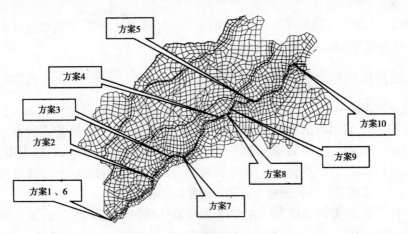

图 9-5　10 个方案的决堤位置

方案 2:黄河山东段发生设计洪水,北岸 77 号通道处溃堤,河道糙率为 0.03。在第 24 小时,强制溃堤,洪水先向北行,遇徒骇河后沿徒骇河南堤顺堤行洪,在第 280 小时,洪水从第 2 437 号堤防漫过徒骇河,洪水主要沿徒骇河入海。

方案 3：黄河山东段发生设计洪水，北岸 126 号通道处溃堤，河道糙率为 0.03。在第 36 小时，强制溃堤，洪水先向北行，遇徒骇河后沿徒骇河南堤顺堤行洪，在第 221 小时，洪水从第 2 437 号堤防漫过徒骇河，在第 417 小时，洪水从第 2 196 号堤防漫过徒骇河，洪水主要沿徒骇河入海。

方案 4：黄河山东段发生设计洪水，北岸 283 号通道处溃堤，河道糙率为 0.03。在第 48 小时，强制溃堤，洪水先向北行，遇徒骇河后沿徒骇河南堤顺堤行洪，在第 97 小时，洪水从第 2 437 号堤防漫过徒骇河，洪水主要沿徒骇河入海。

方案 5：黄河山东段发生设计洪水，北岸 365 号通道处溃堤，河道糙率为 0.03。在第 60 小时，强制溃堤，洪水先向北行，遇徒骇河后沿徒骇河南堤顺堤行洪，在第 120 小时，洪水漫过徒骇河，洪水主要沿徒骇河入海。

方案 6：黄河山东段发生设计洪水，北岸陶城铺险工处（4 075 号通道）溃堤，徒骇河发生设计洪水（恒定流量 6 000m³/s），河道糙率为 0.03。在第 8 小时，强制溃堤，洪水先向北行，遇徒骇河后沿徒骇河南堤顺堤行洪，在第 200 小时，由于流速过大，让徒骇河 2 214 号和 2 216 号通道强制溃堤，洪水向马颊河方向行进，主要沿徒骇河两岸漫流入海。

方案 7：黄河山东段发生设计洪水，南岸 147 号通道处溃堤，河道糙率为 0.03。在第 36 小时，强制溃堤，洪水先向南行，遇小清河后沿小清河两岸行洪，洪水主要沿小清河两岸漫流入海。

方案 8：黄河山东段发生设计洪水，南岸 294 号通道处溃堤，河道糙率为 0.03。在第 54 小时，强制溃堤，洪水先向南行，遇小清河后沿小清河两岸行洪，洪水主要沿小清河两岸漫流入海。

方案 9：黄河山东段发生设计洪水，南岸 397 号通道处溃堤，河道糙率为 0.03。在第 60 小时，强制溃堤，洪水先向南行，遇小清河后沿小清河两岸行洪，洪水主要沿小清河两岸漫流入海。

方案 10：黄河山东段发生设计洪水，南岸 492 号通道处溃堤，河道糙率为 0.03。在第 72 小时，强制溃堤，洪水向南行漫流入海。

三、堤防保护范围的确定

黄河下游堤防保护范围指的是黄河大堤不同堤段决口后，所淹没的最大范围。根据方案计算的成果，可以得出每个方案的最大淹没范围，由于这 10 个方案分别计算的是北岸大堤和南岸大堤在上、中、下段不同位置决口后的淹没范围，所以，将以上 10 个方案的淹没范围进行综合，合并重合区域，得出所有被淹没的地区，勾勒出整个淹没范围的包络图（见图 9-6），该图就可以代表整个黄河下游堤防的保护范围。

依据计算结果，黄河北岸决口时，洪水主要沿徒骇河两岸漫流入海，洪水波及至马颊河的南岸，淹没面积为 10 869.6km²。南岸决口时，洪水主要沿小清河两岸漫流入海，淹没面积为 5 951.3km²。

《黄河下游防汛手册》附表 30-2 黄河下游各河段洪水溃决时的损失估算表中的记录，当在左岸陶城铺至津浦铁路溃决时，洪水"沿徒骇河两岸漫流入海"，波及范围 10 500 km²。历史上决口泛区简况为"历史上的几次决口，溃水多入徒骇河，有的年份波及到徒骇河干流以北,波及至马颊河干流的情况尚未查到"。当在右岸济南以下溃决时,洪水"沿小清河两岸漫流入海",波及范围6 700km²,历史上决口泛区简况为"较主要的几次决口,如1885年章丘郭家寨决口、1892年章丘胡家岸决口、1895年齐东北赵家决口、1898年历城王家梨行决口等。溃水多是循小清河入海,淹小清河两岸。

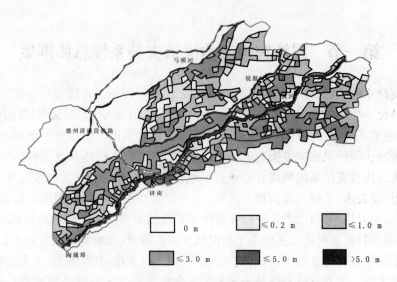

图9-6 黄河下游堤防保护范围内最大可能水深图

参 考 文 献

1 陈霁巍等."八五"国家重点科技攻关项目"黄河治理与水资源开发利用"系列专著:黄河治理与水资源开发利用(综合卷). 郑州:黄河水利出版社,1999

2 黄河流域及西北片水旱灾害编委会.中国水旱灾害系列专著:黄河流域水旱灾害. 郑州:黄河水利出版社,1996

3 黄河水利委员会科技外事局.黄河数学模型发展报告. http://www.yrcc-design.com.cn,2001

4 李健生主编.中国江河防洪丛书:总论卷. 北京:中国水利水电出版社,1999

5 胡一三主编.中国江河防洪丛书:黄河卷. 北京:中国水利水电出版社,1999

6 李娜,杨磊,刘树坤等.黄河下游山东段堤防保护范围研究. 灾害学,2001(1)

7 刘树坤,杜一,富曾慈等.全民防洪减灾手册. 沈阳:辽宁人民出版社,1993

8 刘树坤,宋玉山,程晓陶等."八五"国家重点科技攻关项目"黄河治理与水资源开发利用"系列专著:黄河滩区及分滞洪区风险分析和减灾对策. 郑州:黄河水利出版社,1999

9 谭维炎.计算浅水动力学——有限体积法的应用. 北京:清华大学出版社

10 赵文林主编.黄河泥沙. 郑州:黄河水利出版社,1996

11 黄河水利委员会.黄河治理开发规划纲要.郑州:黄河水利出版社.2002

第十章 泥沙灾害防治决策支持系统研究与开发

第一节 泥沙灾害防治决策支持系统总体框架

决策支持系统(Decision Support System, DSS)是一门新兴边缘学科。它的应用是一种将技术转化为生产力的管理的创新。它涉及统计学、运筹学、知识获取、数据可视化、高性能计算、专家系统、行为科学、系统理论等学科的相关知识。泥沙灾害防治决策支持系统是有效地减少泥沙洪水灾害损失的科学决策方法,是防汛指挥系统工程的重要组成部分。泥沙灾害决策支持系统集成管理涵盖了地理信息系统(GIS)、大型数据库、大规模计算、非线性科学技术、系统工程管理方法等,是一交叉性的前沿研究课题。海量信息和决策的群体性、交互性、分布性将是泥沙灾害决策系统的根本特征。面对全新的决策支持环境,传统决策支持系统模式已适应不了新时代要求。因此,如何将迅猛发展的信息技术有机地融入系统决策支持过程中,将是实现泥沙灾害决策系统科学、高效、可靠的根本途径。

泥沙灾害防治决策支持系统是一庞大的复杂体系。为了科学合理地进行减灾,提高对泥沙洪水灾害的反应的应变能力,一个完善的决策支持系统主要由人机界面、功能模块、模型库、数据库、知识库及方法库等子系统共同构成,各子系统是相互协调、有机组合在一起的。一般泥沙灾害防治决策支持系统的总体结构,如图10-1所示。

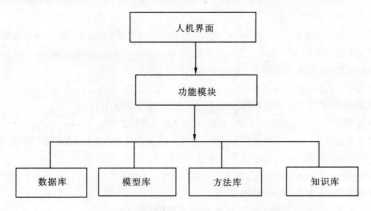

图 10-1 泥沙决策支持系统总体结构图

在泥沙灾害防治决策支持系统中,数据库一般包括:水文泥沙基本数据、河道冲淤变化及实测断面数据、水库淤积数据、统计分析数据、历史数据、实时数据,图形、图像、文字。模型库主要存放系统各种基础模型,例如泥沙冲淤计算模型、水库泥沙调度模型、河道洪水泥沙冲淤演进模型,以及其他根据用户要求所建立的模型,它应具有管理、维护、运行和更新这些模型的能力。知识库用来存放泥沙专家经验规则和研究成果,主要有水文泥沙基本特性、防洪抢险、分洪滞洪、水库河道演变基本规律等方面的专家经验和知识。知识库还可用于今后对知识库的扩充、维护与修改。方法库存储各种物理和数学算法。下面将对各子系统的组成、功能及集成技术进行详细介绍。

第二节　泥沙灾害数据库的研究与开发

泥沙灾害数据库是与泥沙灾害估算、评价联系密切的基本数据库,是泥沙灾害防治决策支持系统的一个重要组成部分。通过分析和建立水文、泥沙数据信息库,河道、水库河床演变信息库等,对不同来源、不同种类和特征的有关数据进行集中存储和有效管理。

泥沙灾害数据库系统具有存储、查询、统计、制表以及维护等基本功能,能以较快的检索速度准确地提供数据服务。数据库的内容以及表结构和功能的设计,着重于满足泥沙灾害防治决策支持系统内各个功能模块的需要。

由于泥沙灾害防治决策支持系统是集数据库、模型库、方法库和专家经验知识库为一体的,因此,泥沙灾害数据库不仅具有基本水文数据的特点和功能,而且还要解决泥沙灾害数据库与泥沙灾害防治的模型库、方法库和专家经验知识库之间的接口技术[1,2]。近年来已建立了几种有关黄河中下游水库及河道泥沙问题分析研究的专用数据集,对及时查找有关数据及分析研究工作提供了很大方便。但是其内容需要充实、调整和扩展,并需要编制一些水文泥沙分析计算、洪水要素统计和数据、图像处理等软件包,与泥沙灾害数据库集成一体化,以构成适用于泥沙灾害防治决策支持系统的数据库系统,该系统具体的结构流程图见图10-2。

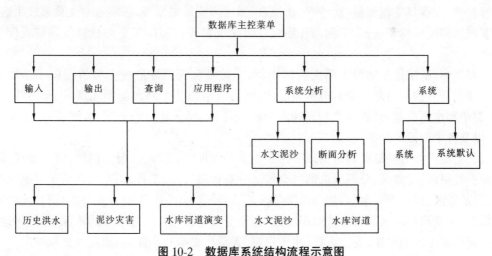

图10-2　数据库系统结构流程示意图

一、泥沙灾害数据库结构设计思路及特点

建立泥沙灾害数据库的目的,是满足泥沙灾害防治决策对水文、泥沙数据信息的查询、统计、分析及模型预报等各种泥沙灾害信息检索的需要。数据结构设计遵照关系型数据库表结构设计的一般原则,即数据描述的统一性,也就是说,描述的对象及对象之间的联系都能用关系表示,而关系本身必须是规范化的。在尽量减少数据冗余度、确保数据一

致性等数据库设计的一般原则下,结合泥沙灾害防治决策支持系统的特点,设计表结构时主要考虑:①泥沙灾害数据库的设计内容要充分反映黄河中下游泥沙灾害的现象、特点及防治措施,同时要考虑泥沙灾害防治决策支持系统的应用需要和可推广性;②表结构的设计应符合有关技术标准,代码和标识符设计应尽量向国家标准、行业标准靠拢,并要与其他数据库的设计保持一致性;③为提高查询速度,适当放宽规范化和冗余度的要求。考虑到泥沙灾害防治工作的实际情况和实际应用的特点,个别表结构的设计没有严格消除数据项之间的部分依赖关系。

在泥沙灾害数据库表结构设计时,根据表中描述数据的更新频率和特点,把表分成三大类:第一类是数据更新频率较低或基本不变的水文泥沙信息表,如水文测站、实测大断面位置等数据表;第二类是更新频率比较高、与泥沙灾害防治决策有关的水文泥沙信息表,如洪水水文要素、实测流量成果表、每年不同测次实测大断面资料等数据表;第三类是更新频率较高,适用于专家知识库、模型计算和统计分析的数据信息,如河段冲淤量、河道地形概化等数据表结构。

在进行泥沙灾害数据库表结构设计时,考虑到数据查询中尽量减小表连接,将不同的数据类型,但关系密切的数据仍然放在一个表中,而没有因为一个是数据型,一个是描述型的字符,把它们分别设计在不同的表结构中。

开发的泥沙灾害数据库主要包括:水文、泥沙基本数据,水库、河道断面资料,泥沙灾害基础资料,水库河道河床演变基本资料等。

水文、泥沙基本数据主要是以黄河中下游各个测站历年的水文泥沙测验为基础,主要内容包括:①逐日平均流量、输沙率、水位表;②实测流量成果表;③洪水水文要素成果表;④实测悬移质输沙率表;⑤实测悬移质颗粒级配成果表;⑥月、年平均悬移质颗粒级配成果表。

黄河中、下游历年实测大断面资料丰富,为防洪和河道冲淤演变分析提供了基本数据。研制开发的河道断面资料分析系统软件,可以给出各个断面历年生产堤、滩唇线、主槽、深槽和水面位置,计算各个断面冲淤面积、不同高程下断面的宽度、水深、河底平均高程,以及各个河段的冲淤量。

黄河泥沙灾害基础资料包括以下三个方面的数据[3]:①滩区、分滞洪区、河道工程、泥沙淤积等资料;②滩区、分滞洪区的社会经济分布资料,避洪工程资料,滩区历年进退水统计,以及滩区过流、漫滩水位、塌滩淤滩等观测资料;③黄河中、下游水库、河道历年泥沙灾情数据,主要包括滩区进水落淤情况、滩区淹没受灾情况(进水时间、平均水深、淹没耕地、淹没或被水围困的村庄、受灾人口、水毁房屋、人员伤亡等),水库、河道泥沙淤积情况。

新中国成立以来,关于黄河中、下游防洪减灾技术的研究,游荡性河流河床演变与整治的研究,高含沙水流的基本理论及应用研究,人类活动对流域环境演变、水沙变化、河床演变的影响等方面的研究,水库泥沙等工程泥沙问题的研究,均取得了累累硕果,也取得了很大的进展。为了把这些研究成果应用于泥沙灾害防治决策支持系统,我们收集和整理了三门峡水库、黄河下游河道泥沙冲淤特性及河床演变的基本资料,主要内容包括:①黄河下游河道在清水及浑水条件下的输沙特性;②黄河下游河床组成、河床纵比降、水流含沙量及断面形态对河道输沙能力的影响;③来水来沙与河道冲淤的关系,不同水沙条件沿程冲淤规律,滩槽水沙交换对河道冲淤的影响;④三门峡、小浪底水库基本情况及调度原则;⑤三门峡水库在不同运用条件下对水库、下游河道冲淤的影响。

上述数据库可在下列硬件及软件环境下运行:①PC 586 以上微型计算机或兼容计算机;②中文 Windows95 操作系统或更高版本;③中文 Office97 应用软件;④Visual Basic 6.0 运用程序库及 DLL 库;⑤Visual C 6.0 运用程序库及 DLL 库;⑥Visual FoxPro 6.0 运用程序库及 DLL 库。

二、泥沙灾害数据库功能模块

在泥沙灾害数据库的软件系统中采用模块组合结构,整个数据库软件系统由许多功能独立的模块组成,这些模块可以通过泥沙灾害防治决策支持系统中的应用程序直接调用,作为泥沙灾害防治决策支持系统的组成部分。泥沙灾害数据库软件系统的设计是面向数据的,它所包括的功能模块主要有控制模块、输入模块、数据管理模块、查询模块、水文、泥沙计算工具、输出模块、应用程序接口模块等。

(一)输入模块

数据管理模块主要完成对已入库的数据进行管理的功能。其主要功能有:对数据的更新、添加、修改、删除,以及以浏览的方式对数据进行编辑;在系统运行过程中,以数据库为主实现各模块之间的数据交换,减少以一般文件形式存储的输入数据和中间结果的数量,保证数据的一致性。

输入模块主要完成数据录入的功能,该模块为水文、泥沙基本数据、实测大断面资料等各类数据的录入提供了一套工具和界面。该模块还可以直接读入电子表格(Microsoft Excel、Quattro Pro 或 Lotus123)中的数据,或其他数据库中的数据文件。

数据录入功能除了可以满足建库以外,还能够适应系统运行过程中快速更新数据的要求。

(二)查询模块

提供各类数据的查询操作界面和显示界面,用于查询数据库中原始数据及历年水文、泥沙主要特征数据和统计分析数据。

(三)输出模块

输出模块主要包括屏幕显示、报表生成及打印等功能。屏幕显示是为用户检索泥沙灾害数据库中的基本数据提供一个良好的人机界面,可以在屏幕上,利用查询模块提供的查询路径,对所显示的数据进行有条件地选择,然后进行报表生成和打印,为用户提供各种打印报表。

输出模块还可以根据用户的不同要求,将数据输出到不同的文件内,如电子表格文件(Microsoft Excel、Quattro Pro 或 Lotus 123)、文本文件或数据库文件。

(四)系统分析计算模块

泥沙灾害数据库是为泥沙灾害防治决策支持系统提供原始及泥沙分析计算和统计结果的数据。因此,结合黄河泥沙问题分析的特点和泥沙灾害防治决策支持系统模型库、知识库和方法库的需要,开发和编制了系统分析计算模块。模块中存放以标准模块形式实现的各类算法和进程,主要有:①时段洪量计算及水沙量统计;②洪水或日平均同流量水位计算;③黄河下游河道洪水演进计算;④下游各水位站水位、流量关系预估,沿程水位计算及水位插补计算;⑤水库运用水位及各级水位天数的统计;⑥悬移质或河床质不同粒径的计算;⑦实测断面资料分析系统,该系统功能强大,操作简便,主要功能有:a、套绘或打印实测大断面图;b、任意划分同一断面不同测次的一个或多个子断面位置坐标;c、计算不同高程下主槽、滩地、深槽及全断面的面积宽度、水深和河底平均高程,以及相邻测次之间的冲淤面积;d、计算水库库容或河道冲淤量;e、简化或概化原始实测大断面资料,为泥沙数学模型计算提供初始的河床边界条件。

(五)应用程序接口模块

提供泥沙灾害数据库与泥沙灾害预估、水文泥沙计算、数学模型计算、河道泥沙冲淤分析计算、各个水位站水位流量关系预估计算等模块的高级语言接口。使系统中的各模块功能可以直接访问泥沙灾害数据库中的数据。可以非常方便地将系统嵌入到 GIS 地理信息系统,并且利用黄河下游河道历年实测断面数据库及各个断面主槽、滩地和水流的位置特征表,实现河道断面、平面形态、河势变化等多维动态显示。

三、泥沙灾害数据库系统的应用

泥沙灾害估计和减灾对策的制订,需要使用大量的水文、泥沙数据,滩区和分滞洪区的大量地理、社会经济、工程信息。因此,本项研究首先对各数据和基本资料进行了收集、整理、计算和分析,包括黄河下游的社会经济数据、滩区地理信息、生产堤、滩唇线、控制断面的水位流量关系等。根据泥沙灾害防治决策系统功能要求,建立了各类数据之间的关系,特别是建立了实测大断面、滩区地理数据与社会经济数据之间的关系,使其成为一个有机的整体。在此基础上,利用先进的对象编程技术,对泥沙灾害基础数据进行了归纳、分类整理和数据转储,开发了数据录入、查询、输出等中文界面,录入了大量数据,建立了黄河中下游泥沙灾害数据库。

利用泥沙灾害数据库系统,可以系统方便地分析黄河下游历年的河道演变情况及洪水特性,例如表 10-1 是利用系统同流量洪水水位工具,计算黄河下游不同年份各水文站流量为 3 000 m^3/s 时的洪水水位;表 10-2 是采用系统时段水沙量计算功能求得黄河下游不同时段水沙量;图 10-3 是利用 RGTOOLS 的实测断面资料分析系统,首先计算铁谢至利津河段各个实测断面在不同时期的主槽河床高程升降值,然后对河南(铁谢至高村)、山东(高村至利津)两段各断面主槽河床平均高程的升降值进行平均求得。

表 10-1   **黄河下游各水文站 3 000 m^3/s 同流量水位统计**   (单位:m)

年份	花园口	夹河滩	高村	孙口	艾山	泺口	利津
1960	92.25	73.56	60.77	46.68	38.35	27.41	11.41
1964	90.95	72.24	59.44	45.10	37.60	26.72	11.42
1973	92.88	74.18	61.81	46.96	39.85	29.35	13.06
1985	92.45	75.55	61.85	47.00	39.80	29.25	12.50
1996	93.75	77.25	63.25	48.60	41.45	30.95	14.19

表 10-2　　　　　　　　　黄河下游不同时段年均来水来沙量统计

时段 (年)	三门峡水库 运用方式	水量(亿 m³)			沙量(亿 t)		
		汛期	非汛期	水文年	汛期	非汛期	水文年
1960~1964	蓄水或滞洪	320.2	238.6	558.8	4.29	1.53	5.82
1965~1973	滞洪	225.6	199.5	425.1	12.84	3.48	16.32
1974~1985	蓄清排浑	257.0	174.0	431.0	10.91	0.34	11.25
1986~1996	蓄清排浑	139.7	159.5	299.2	7.82	0.47	8.29
1960~1996		235.6	192.8	428.4	8.96	1.45	10.41

由表 10-1 和图 10-3 可以看出,在三门峡水库蓄水运用(1960~1964 年)期,黄河下游河道主槽河床高程都是下降的,各个水文站 3 000 m³/s 同流量水位也是下降的;在三门峡水库滞洪排沙(1965~1973 年)运用期,黄河下游河南、山东两段主槽河床高程呈现上升趋势,各个水文站同流量水位升高;在三门峡水库蓄清排浑(1974~1996 年)期,黄河下游河道演变特性可以分为两个时段,由表 10-2 可知,1974~1985 年黄河下游来水来沙条件比较好,特别是汛期水量较大,黄河下游河道淤积均很少,主槽河床高程和同流量水位上升幅度较小;1986~1996 年黄河下游来水来沙属于枯水少沙系列,来水极枯,汛期水量较长系列减少很多,黄河下游河道主槽淤积严重,主槽河床高程逐年升高,各个水文站 3 000 m³/s 同流量水位抬升较大。

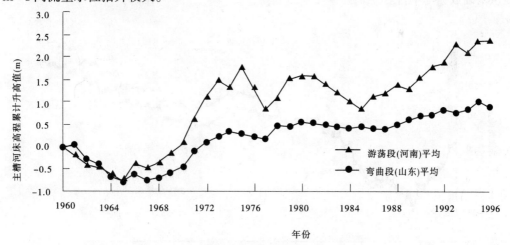

图 10-3　黄河下游主槽河床高程累计升高值变化

泥沙灾害数据库中实测断面分析系统可用于计算任一个淤积断面在任意时段深槽、主槽或全断面的冲淤面积,因此,我们还可以利用本系统和黄河下游历年实测断面资料,分析和研究黄河下游各个河段每年汛期和非汛期的冲淤变化及分布。图 10-4 为黄河下游各个断面 20 世纪 90 年代汛期、非汛期年均冲淤面积分布。由图 10-4 可以看出,高村以上河段(距小浪底 300km 左右)每年汛期淤积,非汛期冲刷的特点比较明显,高村以下河段汛期、非汛期冲淤幅度较小。

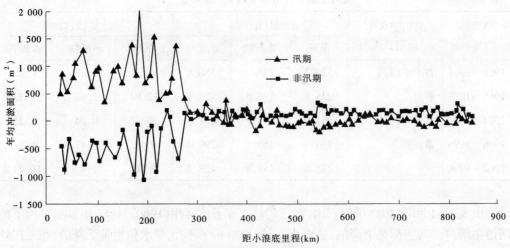

图 10-4　黄河下游河道年均冲淤面积分布

　　图 10-5 是利用数据库中断面资料计算的黄河下游主槽、滩地冲淤量历年累计过程，反映了黄河下游河道历年主槽、滩地的冲淤数量及其过程。

　　泥沙灾害数据库系统的建立，不仅可以满足泥沙灾害防治决策系统功能实现的要求，而且可以通过数据库管理系统直接为防汛提供信息服务，同时本系统可以方便地嵌入到 GIS 系统，实现河道断面、平面形态、河势变化等动态显示，为泥沙灾害防治决策支持系统提供基础数据库平台。

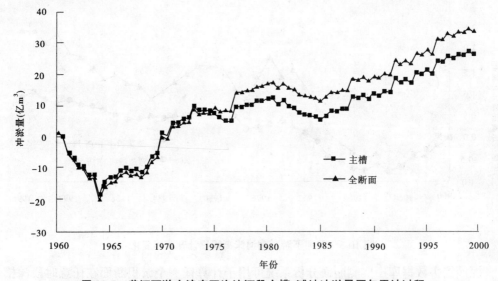

图 10-5　黄河下游小浪底至渔洼河段主槽、滩地冲淤量历年累计过程

第三节　泥沙灾害决策支持系统模型库集成方法

　　模型是对客观事物的一种抽象描述，人们通过对模型的认识来增加对复杂问题的理解和处理。用模型来辅助决策已经是人们的共识。模型库是将众多的模型按一定的结构形式组织起来,通过模型库管理系统对各个模型进行有效的管理和使用。模型库和数据库一样,是一个共享资料库。通过模型库可以将多个模型组合起来构成更大的模型。模型库除了数学模型以外,还含有数据处理模型,图形、图像模型,报表模型和智能模型等。多种模型的使用,自然就扩充了辅助决策的能力。

泥沙灾害决策支持系统(DSS)决策者不是依靠数据库中的数据进行决策,而是依靠模型库中的模型进行决策,因此可以认为,DSS是以功能强大的系统软件与数学模型对黄河治理开发和管理的各种方案进行模拟、分析和研究,并在可视化的条件下提供决策支持,增强决策的科学性和预见性。模型库集成技术经历了三个发展阶段[4]:模型程序、模型软件包、模型库。由于模型库固有的专业性与复杂性[5],用户难以很好地组织模型来解决问题,同时,至今市面上还没有商用模型库管理系统软件[6],尽管国内外研究人员致力开发了一些这方面的软件[6],但很难投入实用。只能针对特定领域的问题和开发环境,运用模型管理技术理论实现自己特定需要的模型库系统功能[7],因此,结合泥沙灾害决策支持系统的特点和功能,我们建立和开发了模型库管理子系统,其系统结构流程见图10-6,下面根据流程图中主要结构说明模型库集成方法。

一、模型库的组织和存储

模型库的组织和存储是模型库的重要问题,模型库组织形式与模型表示形式有关。在模型库中除智能模型外,都是以程序形式或数据文件形式表示,程序和数据都以文件形式存储。因此,从图10-6可以看出,模型字典库、模型参数库和模型数据交换中心是模型库的主要组织和存储形式。

为了对各种数学模型进行统一管理,首先要对模型表示进行规范化,将模型的特征描述与实际的模型文件分离;利用模型字典库记录模型特征,利用模型文件库统一管理相应的模型文件组,以减少模型冗余、保证模型一致性,提高模型共享能力及模型动态组合能力,加强模型的灵活性。模型文件库存储模型所用的各种文件,每种模型对应4个模型文件:源文件、目标文件、说明文件和描述文件。源文件是模型的源程序表示;目标文件是模型的可执行程序表示;说明文件是模型的自然语言描述;描述文件是模型的数据表示,是对模型的输入和输出数据所做的说明。这4类文件分别存放在不同的目录下,利用操作系统的文件管理功能进行管理。模型字典库采用数据库表形式存储模型的特征描述,它由模型的基本属性及模型的文件组属性构成。基本属性是对模型名称以及模型标识符等模型自身特征的描述,一般包括一维恒定流泥沙冲淤数学模型、一维非恒定流洪水演进及泥沙冲淤数学模型及二维水沙模型等有关河道、水库泥沙数学模型;文件组属性则给定对应该模型的各个模型文件的文件路径和文件名等信息,通过相应的模型文件组属性,可以对任意模型进行编辑、编译和调用。

模型参数库包括水文、泥沙和率定三类参数。水文、泥沙参数用于与水文、泥沙计算有关经验系数,如不同河段糙率、泥沙干密度、输沙能力计算公式中的经验系数等。由于天然河道、水库的河床演变及泥沙运动是非常复杂的,需将所研究的对象(河流或河段)进行概化,分解成若干基本单元(河段、水库、行蓄洪区等),为模拟每个基本单元上的洪水演

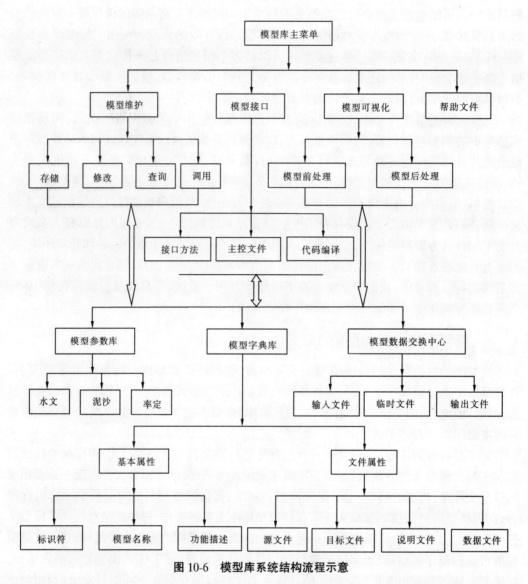

图 10-6　模型库系统结构流程示意

进和泥沙冲淤演变过程,选择一个或若干个泥沙数学模型,根据历史资料,率定出一套或若干套参数。率定的参数、采用的历史资料、模型使用范围及有关参数使用条件等内容被存放在模型参数库中,模型参数库也采用数据库表形式存贮,并且模型字典库数据库表是它的主连接表,一般是通过模型标识符建立两者之间的主索引。

　　模型与数据是独立的,但是在模型调用过程中,模型必须首先从数据库中获得数据;模型执行完毕后也必须将产生的新数据存放在数据库的指定位置。为了在决策控制流程中简化对模型的调用,以及模型部件对数据部件的存取操作,模型库管理系统提供了模型数据交换中心。一方面,在决策支持系统中,数据单独存放在数据库中,使得系统访问数据库获得的数据格式与模型所需要的数据格式差别较大;另一方面,各种模型所需要的数据格式也各不相同。因此,不能直接采用统一的方法实现数据库数据与模型数据格式上的转换。为了解决这个问题,可以通过模型数据交换中心实现,首先,利用数据交换中心将数据库中数据和在可视化模型前处理中得到的数据读入到临时文件;其次,系统根据调用模型的接口方法、主控文件和代码编译,以及模型字典库,确定该模型的数据来源、数据内容和格式,将模型交换中心的临时文件转换为模型的输入文件,并且运行模型的目标文件,模型的目标文件从输入文件中获得模型的外部数据后运行,并将新生成的数据写入到输出文件;最后,系统用输出文件中的数据更新数据库中指定位置的数据。由于临时文件采用相同的结构,任何模型只要能与临时文件进行数据传输,就能独立运行,从而保证了模型接口的统一以及模型与数据的独立性。

二、模型可视化

随着计算机软件技术的发展,图形用户界面(GUI)正日益成为计算机软件界面设计的主流和方向,以点式输入设备控制的窗口、菜单、图符等已逐渐成为计算机软件的人机交互界面的标准形式。对于决策支持系统(DSS)来说,仅有图形化的人机交互界面是不够的,因为 DSS 用户(决策者)不仅要求 DSS 使用方便,更重要的是需要了解 DSS 是如何提供决策支持的。要决策者将 DSS 的推理结果作为其决策的依据,就必须使决策者对 DSS 的模型、推理机制等有一定的了解,而这仅仅依靠数学表达式是不够的。为了使用户对 DSS 能有一个清晰直观的理解,将可观化技术应用到 DSS 的开发过程中,应综合运用图形、图像、声音等多媒体技术成果结合现有的 DSS 功能,将 DSS 应用推到一个新的高度。

泥沙灾害防治决策支持系统是依据于河道空间地理信息的,如河道地形图、河道工程布置、洪水淹没范围、社会经济基础数据分布等,对它们的图形化表达能够使用户有身临其境的感觉;基于各种运用方案的三维动态仿真能够更容易地比较不同方案的优劣,所有这些可视化技术在泥沙灾害防治决策支持系统的应用都能够增加 DSS 对用户的可理解性和对决策支持的有效性。以往的管理信息系统(MIS)和 DSS 往往是基于字符的,即使采用了窗口、菜单等图示化技术,也往往局限于单纯的人机交互界面(输入输出数据),这已不能满足用户对 DSS 的期望。为了更直观地表达出 DSS 的内部机理,便于用户的理解,DSS 中的可视化可分为模型前处理和后处理两大部分,主要内容应包括:

(1)图示化的人机交互界面,即采用窗口、菜单等用点式输入设备结合键盘等使用户能与 DSS 方便地交换信息,如数据的输入输出等;并且利用 GIS 图形界面对数学模型计算区域进行模型前处理,为数学模型提供初始河床边界条件和上下游河段入口和出口控制条件。

(2)利用 GIS 系统生成数学模型需要的数据,根据已经数字化的河道或水库电子地形图,在 GIS 支持下作出空间概化图,利用 GIS 的 TIN 模块,为数学模型提供所需的很多空间地形数据及相关的属性数据。

(3)将建模过程能够在一定程度上图示化,使用户更容易理解模型的内容和相互关系,并能支持用户对模型的修改,如修改模型参数库、模型字典库等。

(4)将 DSS 的知识推理过程以一定的图形方式显示给用户,使用户对 DSS 的推理结论的得出有比较深入的了解,从而有利于用户在此基础之上的决策。

(5)将 DSS 的仿真过程(洪水演进过程、河床演变等)以二维或三维图形的方式加以显示,将能够使决策者对水库调度、泥沙灾害防治有更为清晰、直观的了解,增加决策的有效性。

对于 DSS 中信息的可视化表达可以采取多种形式,并且可以同时用多种表达形式从不同的方面完整地显示信息,常用的可视化形式有:①常用的统计图。包括饼图、直方图、折线图等。饼图常用来表达同一类物理量在总体中所占的比例,直方图常用来对不同的物理量进行比较,折线图主要用来表达同一物理量的时序变化,亦可在同一图上叠加不同量的折线以作趋势比较。②将地理信息系统(GIS)的概念引入到泥沙灾害防治决策支持系统中,使用二维或三维图形来表达对象的空间布局和相对位置(即空间布置图),给决策者提供一个形象直观的操作环境,通过图形的无级缩放、漫游、开窗、变换视角与观察点等使用户有身临其境的感觉,空间布置图中对象实体与数据库及推理机的结合,可以很方便地进行查询、仿真等。③运用多媒体计算机网络技术,可以将群体协商决策过程通过计算机网络进行,决策者共用一块"黑板"便如同面对面的交流。

三、模型接口

模型接口方法主要是指与 GIS 集成,数学模型与 GIS 集成主要考虑三种:

(1)外接式集成。它是一种松散的集成,即被集成的各个部分是通过外部输入、输出接口进行联结,各个部件之间没有融合在一起,它们之间集成主要是利用各自的功能,集成方式是通过文件交换机制实现它们之间数据交换。这种集成虽然较容易实现,但集成水平、效率都低,无法保证用户界面和数据结构的一致性,并且需要人为地设定软件之间的数据流向,不能对数学模型进行灵活的开发和修改,以及缺少与仿真事件的交互。

(2)半紧密内嵌式集成。在该模式中,数学模型与其他软件的核心不变,通过宏语言或其他编程语言编制各个部分之间的接口程序,设计统一的用户界面,使它们在表面上看似一个集成的模型系统。这种方式的集成水平、工作效率均高于第一种,操作使用比较方便,但是它的效率和对模型的修改和仿真事件交互仍然缺乏灵活性。

(3)紧密内嵌式集成。数学模型与 GIS 集成后的系统能够在无缝的、友好的环境中进行工作。它在河道冲淤演变模拟和仿真信息系统中,用户可以实时地将仿真结果可视化,根据用户要求和查询要求干预或中断模型计算,并修改模型数据或数学模型的计算模块,它需要大量的软件开发工作,需要专业软件开发人员和数学模型领域专家合作进行开发。

上述三种方式各有优缺点,可根据具体情况选择一种或两种以上进行开发和集成。

在泥沙灾害防治决策支持系统中,要解决的问题一般是复杂问题,通常需要将其分解为若干个子问题,得到相应的子模型;通过对这些子模型进行求解,并将这些子模型进行组合实现对复杂问题的求解。而在模型组合过程中,关键的问题是模型之间的接口以及模型组合方式。由于模型是数据驱动的,因此模型之间的接口实质上是解决模型之间数据的共享与传递问题。主控文件与模型数据交换中心一起,为模型与模型之间、模型部件与数据部件之间数据的传递架起了桥梁,对模型间接口、模型与数据库之间接口进行了规范化,使得任何模型之间的组合在表示形式上可以完全相同,实现方式上完全一致,模型的表示、实现与模型类型无关。模型组合方式是指组成模型的各个子模型之间的逻辑关系,即采用什么样的结构组织这些模型。在单个模型运行的基础上,通过主控文件的控制结构实现模型之间的任意组合。由嵌入式 DSS 语言描述的决策控制流程,采用代码编译机制进行编译,得到 DSS 开发人员所需要的决策支持系统应用程序。

四、模型维护

模型维护是随着 DSS 的需要而发展起来的,它使模型管理技术提高到一个新水平上,模型不是简单的数据,它是一个程序文件或数据文件,这样模型库要比数据库复杂的多。目前,数据库技术已经成熟,但模型库技术还处在发展阶段,尚未成熟。模型维护可以有效对模型进行存储、修改、查询、调用。模型间不仅可以相互独立,而且可以互相组合。模型维护主要功能有三个方面:模型的存储管理、模型的运行管理和支持模型的组合。利用模型维护可以对模型参数库、模型字典库进行修改、添加和编辑。

第四节　泥沙灾害预估和减灾对策研究与开发

泥沙灾害是一种突发性自然灾害,随着减灾活动的开展,如何合理地评估洪水灾害,从而达到有效的监洪、报洪、防洪、抗洪及救灾的目的,已经成为泥沙灾害防治决策支持系统的重要组成部分。泥沙灾害评估的实质就是研究泥沙灾害发生的时空规律及其分布特征,确定区域泥沙灾害的损失,辅助决策部门制定防洪、抗洪以及救灾的方案。

一、专家分析系统

专家分析系统一般可以分为知识库、推理机、智能决策模型、知识库管理模块、知识获取模块和用户接口部分,知识库、推理机和智能模型是其核心部分。知识库是用于存储水文泥沙灾害防治及水库防洪调度专家经验规则和研究成果的,它以系统树和对象来组织知识,以一阶谓词逻辑语句形式表示知识对象的主要成分。推理机控制是用知识库内知识执行推理的过程。推理分为对象内部推理和对象间推理,前者是能由对象方法操纵的对象自我调节,后者是通过对象间的通信来协调的对象间的相互作用。

知识库主要是通过收集国内外有关泥沙灾害防治方法、水库及河道河床演变特性、水库调度经验以及经验总结等方法获得。获得的知识要根据知识库规定的概念、结构和方式来表达和书写,以便于输入计算机,形成知识库。一般选用语义网络、框架结构、产生式规则作为知识表达方式。采用这种混合知识表达方式的优点是适合于数字型知识的不同要求,书写方便灵活。根据知识表达方式,知识库按知识的层次结构,可分为必要性分析、运用方式分析、方案模拟控制、合理性分析四个相对独立的知识分组。

为了适应与泥沙灾害防治决策有关知识的特点,知识的表达采用了产生式规则形式,规定三种类型的产生式规则:①类型 1 为从事实到事实的规则。用于表达描述性的专家知识,例如:根据控制站水情数据得出某个防洪工程需要投入运用的结论。②类型 2 为从事实到动作的规则。即根据已有的数据或推理的中间结果激活规则或算法,常用于实现对某个规则分组的访问或对某种算法的调用。③类型 3 为从动作到动作的规则。用于表达纯过程性的知识,主要用于通过对算法的连接构造模型。

在专家分析系统中,知识库采用了两种简单实用的规则形式:

(1)显式规则。形式为:结论—前提1,前提2,……,前提 N。

(2)隐式规则。形式为:规则名(序号,前提1,前提2,……,前提 N,结论)。

其中,"前提"之间是"与"的关系,N 个"前提"同时成立时"结论"才成立。"前提"可以是事实、动作,也可以是另一条规则。"结论"对不同形式的规则是不同的。对显式规则,它是一个谓词名,仅表示所有"前提"成立;对隐式规则,"结论"是一个推理结果,一般需要写入专用数据库。此外,由于采用的是与规则次序有关的深度优先搜索算法,因而规则的排列隐含了激活的优先级,为了解决这一问题,在不影响系统执行效率的前提下,允许规则前提的部分冗余。

显式规则易于直接形成推理链,实现方法简单,主要用于高层次知识的表达,缺点是不利于各规则的独立性。隐式规则在形式上与事实相同,有利于规则的独立性,也有利于建立外存知识库,但要增加推理机的负担。

二、智能决策模型种类

决策支持系统与地理信息系统有机结合是决策支持系统发展方向,它不仅仅是通过数值计算和人机交互方式来解决系统半结构化问题,更主要的是如何利用现代化信息技术,更好地提高决策者作出决策的能力,与此相关的系统建模技术和支持体系是其中最重要的两个方面。

科学的决策需要信息,信息是决策的前提和依据,基于大规模数据库和防洪调度决策支持系统所面临的不再是信息资料的缺乏,而是过剩,系统所面对的是大量实时更新的水文、气象、工情状况的遥测、遥感、电报等信息,形式可能是图、文、声、像、数值,信息成几何级数递增,防洪调度决策是一实践性很强的决策过程,过程中大量专家经验性知识对防洪调度决策具有重大的影响;另外大量的历史数据是防洪预测、防洪决策的重要参考资料,如何有效利用这些信息,是实现智能决策的关键。智能决策模型种类一般包括基于神经网络的预测模型、基于遗传算法的优化模型、基于知识发现和数据发掘规则提取模型和分布式群决策理论模型。

(一)基于神经网络的预测模型

洪水调度决策依赖于对洪水过程准确、可靠的预测,受流域自然地理、水文、气象、人类活动等多方面因素的影响和限制,洪水过程预报一直是实际洪水调度中的难点,关于流域洪水预报,国内外已提出了 200 多种水文模型;对河道洪水预报,也有许多行之有效的方法。尽管这些模型基本上能解决实际洪水调度中的预报问题,但由于人类对流域水文气象规律认识有限,自然界规律又复杂多变,各种模型的建立还不能摆脱对真实水文现象模拟概化的种种假定,特别是当影响流域水文变化因素较为复杂时,很难直接用一般泥沙数学模型得到比较好的预报结果,神经网络以其大规模并行、分布式存储和处理、自组织、自适应和自学习能力,特别适应于处理需要同时考虑许多因素和条件的、不精确和模糊的信息处理问题[8]。自神经网络在 20 世纪 80 年代初蓬勃兴起以来,在水文水资源界也引起了广泛重视,神经网络已应用于降雨径流预报、河道洪水预报、径流中长期预报等方面[9]。如何根据泥沙灾害防治理论及河道、水库演变特点,与神经网络技术相结合,充分利用一切可以利用的资料,寻找合适的模型结构,揭示更深刻的与泥沙灾害防治、决策有关的内在规律,将是未来神经网络模型应用于水文泥沙冲淤及洪水预报研究的发展方向。

(二)基于遗传算法的优化模型

遗传算法作为一种全局优化搜索算法,因其简单通用、使用性强、适于并行处理,已广泛应用于不同领域[10]。近些年来,有关遗传算法在水文概念模型的最优参数确定、城市管网供水最优化、多目标水污染最优排放、综合利用水库水资源最优分配、库群系统最优调度等方面研究已愈来愈多。众多的研究表明,遗传算法与传统的动态规划、非线性规划方法相比,有其独特的优点,在水文泥沙研究及泥沙灾害防治等领域具有广泛的应用前景。

(三)基于知识发现和数据发掘规则提取模型

知识获取问题是智能决策支持系统的瓶颈,泥沙洪水调度是一实践性、政策性、实时性很强的决策过程,历史洪水调度经验总结是实现有效的决策支持的重要基础,如何从大量的历史信息中提取专家的知识和经验,抽象概化成具有实际意义的指导规则,对实现智能化决策具有非常重要的意义。为了获取高效、有用的知识,国际上一个很活跃的研究领域就是对知识发现理论与方法的研究。基于 KDD 的规则提取模型主要是利用模糊系统、神经网络、遗传算法、对数据库中大量确定和非确定性数据进行聚类分析、非线性映射关系分析,逻辑关联分析,寻找有用的知识规则。KDD 在泥沙灾害防治决策支持系统中的应用主要是建立泥沙冲淤计算及洪水预报、泥沙灾害预测、洪水调度规则提取模型,目的在于与传统洪水预报、泥沙灾害预测、系统优化技术相结合,更好地为泥沙灾害防治决策服务,提供智能化的技术支持。知识获取问题研究将是未来的泥沙灾害防治决策支持系统热门研究课题,也是能否实现智能决策的关键技术之一。

(四)分布式群决策理论模型

基于的泥沙灾害防治决策支持系统为实现真正的群决策提供了良好的条件,通过宽频网的会商系统,重大泥沙洪水调度决策可以集中全国各地著名防洪及泥沙专家的意见和经验,可以尽可能反映防洪利益冲突部门所关心的问题。如何将错综复杂的防洪调度决策科学化、程序化,尽可能减少人为因素干扰,为泥沙灾害防治及防洪调度决策提供了新的课题,因此群决策价值体系的建立与表达技术,群决策方案选择技术及协调度量化模型就成了全新的研究手段。

三、泥沙灾害预估和减灾对策系统

(一)泥沙灾害预估和减灾对策系统结构

泥沙灾害预估和减灾对策流程一般来说,实时泥沙灾害防治及决策的大致过程为:①根据实时泥沙洪水水情信息及对未来一定时段内泥沙洪水水情变化的预测进行泥沙灾害及防洪形势分析;②在整体防洪规划的约束下,按照优化的防洪调度方式确定系统防洪工程体系的蓄泄对策,分析计算如采用这样的蓄泄对策,流域各地将发生的水情,将上述信息全部进入泥沙灾害预估及对策系统;③决策部门主要根据以上信息及工情、灾情等其他信息,经过判断,提出防洪调度预案集;④通过防洪调度模型和洪水演进模型对预案进行水情仿真,对各个方案的泥沙灾害进行预估,并且评价其效果和影响,然后再由专家分析、对比、判断、综合,最后经决策部门确定采取的防洪控制工程蓄泄对策及其他堤防、分蓄洪工程如何运用的决策,并付诸实施。

图10-7为泥沙灾害预估和减灾对策系统结构流程图。泥沙洪水水情可以从数据库或实时洪水水情中得到。泥沙洪水水情、河道、水库初始状态及水库调度规则,通过人机对话提供给专家分析系统。专家分析系统经过对历史数据与当前泥沙洪水水情的比较,利用知识库、推理机和智能模型,给出水库调度基本原则和调度预案,以及相关分析结果和数据。现场专家根据这些信息进行预案分析,提出水库可行调度方案集,并且给出每一个方案具体调度指令。利用水库模型进行水库调洪和泥沙冲淤计算,输出水库出库泥沙洪水过程。然后利用河道洪水演进和泥沙冲淤数学模型(一维、二维数学模型)计算出下游河道各个断面(一维模型)或各个单元(二维模型)的流量和水位过程。最后根据流量和水位过程,对各个方案可能带来的泥沙灾害进行预估。将这些泥沙灾害预估结果反馈到专家分析系统和现场专家,再经过专家分析系统推理和现场专家综合分析,确定具体实施方案和泥沙灾害防治对策。

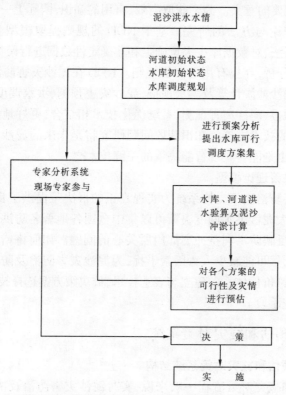

图10-7　泥沙灾害预估与对策系统结构流程示意

(二)泥沙灾害灾情预估方法

泥沙灾害灾情预估主要是依据洪水演进和泥沙冲淤数学模型计算提供的各个主要控制断面或滩区控制点水位。在数据库(主要包括地理、社会、经济数据)支持下,估算下游河道滩区的淹没情况,包括受淹的各个村庄、位置、人口、房屋、耕地、个人固定资产、国家集体固定资产等,形成各滩区的淹没情况汇总。此外,围绕灾情预估作业,提供人机交互支持和相应的信息服务,查询滩区地理、社会、经济信息等。滩区灾情预估功能为防汛部门的业务人员提供估算滩区灾情的辅助手段,同时也为泥沙灾害防治及防洪决策过程中掌握灾情发展态势、制定人员迁安救护方案提供信息支持。依据调度方案模拟得出的控制断面水位进行的灾情预估,可以作为评价指标用于分析方案实施的后果。

1.泥沙灾害灾情预估方法一(主要用于一维洪水演进及泥沙冲淤数学模型)

系统中采用两种方法实现滩区灾情预估。第一,水位插补后进行灾情统计,即:读取泥沙冲淤及洪水演进计算提供的主要控制断面水位,插补计算进水滩区内各断面(技术基础数据库中的断面)上的最高水位,在地理社会经济数据库中的技术基础数据库支持下,估算淹没情况。第二,人机交互确定淹没范围,即:在得出控制断面水位后,将生产堤、滩唇、水位的沿河高程变化绘制在同一幅 GIS 电子地图上,通过分析比较,判断进水滩区和进水位置,然后在进水滩区的地形图上,人机交互确定淹没范围,在地理社会经济数据库中的自然村社会经济数据库支持下,统计淹没情况数据。

这两种方法的原始输入和部分处理过程是相同的,但估算淹没情况的技术途径以及使用的社会经济数据不同。第一种方法比较适合于大洪水或较大洪水,某滩区全部受淹或大部分受淹的情况,用户的干预较少。第二种方法更适合于洪水较小或某滩区局部受淹的情况。由于第二种方法是通过人机交互确定淹没范围,需要使用大量的有关河道工程、生产堤、滩唇、堤河、串沟、滩区地形、以自然村为单元统计的社会经济数据等各类信息,要求操作者熟悉河道和滩区地理情况,具有较高的业务水平和丰富的实践经验。在作业中可以根据实际洪水情况,对不同的滩区选用不同的方法,也可以其一种方法为主,选用另一种方法中的个别子功能,互相配合。

滩区泥沙灾情预估的基本输入资料是洪水演进计算提供的主要控制断面水位或滩区控制点水位。同时,系统中也考虑了在基本的输入条件不完全具备时,利用初步的预报结果进行灾情预估。实际上,在洪水处理过程中,输入数据的内容和精度是变化的。在雨情、水情发展的初期,只能得到个别控制断面的流量预报,随着雨情、水情的逐步明朗化,水情预估所需的数据才能趋于完备。因此,在不同时刻进行灾情预估作业时,能够使用的输入数据是不同的,所需的处理环节随之变化,灾情预估的结果精度也不同,为适应这种情况,系统中通过功能分解将滩区灾情预估划分为若干相对独立的子功能,各项子功能都提供了灵活的输入输出接口,使得灾情预估作业可以从多个中间环节上开始,尽可能使用最新预报数据和实时数据。具体操作是:将主要控制断面水位值插补到系统中设定的控制断面上,在交互界面上参照实测水位人工修正断面水位值,通过生产堤、滩唇线、水位高程线的叠合与比较,确定进水滩区和进水位置,在进水滩区电子地形图上,根据进水位置和地形条件,判断并用画笔确定淹没区域,以自然村社会经济数据库为基础,统计淹没范围内的村庄和社会经济数据。

2.泥沙灾害灾情预估方法二(主要用于二维洪水演进及泥沙冲淤数学模型)

基于数字高程模型(DEM)求取二维水沙模型计算区域内的淹没区,应当区分两种情形。第一种:凡是高程值低于给定水位的点,皆计入淹没区;第二种则需考虑“流通”淹没的情形,即洪水只淹没它能流到的地方。例如对于环形山(一种中间低洼、四周环形隆起的地形),第一种淹没计算可能导致环形山内外都生成淹没区,而在第二种淹没中,外来的洪水若未及山顶,只能在山环外形成淹没区。

这两种情形都具有实际意义。第一种相当于整个地区大面积均匀漫滩情形,所有低洼处都可能积水成灾;第二种相当于高发洪水向邻域泛滥,例如洪水决堤,或局部暴雨引起的暴涨洪水向四周扩散。为简便起见,我们将这两种情形分别称为"无源淹没"和"有源淹没"。在有源淹没中,洪流不仅可能被阻于环形山外,也可能为任何高地所阻隔,一条流域的洪水一般不会越山而过在相邻流域形成淹没区。

无源淹没区的淹没标志间不必连通,程序判断比较简单,所有低于或等于预测水位高程的像元都将计入缓冲区,经累加形成淹没范围。有源淹没区的淹没范围计算比较复杂,所有像元与种子点必须连通,程序一般沿4个方向寻找满足条件的像元。无源淹没和有源淹没所获得的区域,必须与电子地形图上的行政区划层进行叠加计算,才能最后得出淹没区的实地位置,事先应将矢量行政区划层转换成栅格数据。

最后,根据计算淹没范围,以自然村社会经济数据库为基础,统计淹没范围内的村庄和社会经济数据。

第五节　泥沙灾害防治决策信息需求及系统开发原则

一、泥沙灾害防治决策系统的特点和信息需求

泥沙灾害防治决策系统的工作特点可概括为:要求多方面协同工作,信息查询和系统仿真相结合,人机交互快速同步进行。主要目的是激发群体智慧,选择合理可行、易于实施的泥沙灾害防治决策方案。

泥沙灾害防治决策系统应具有如下主要功能:

(1)通过数据库和知识库查询检索大量有关的历史和实时水情、雨情、工情信息,经专家群体分析综合,汲取其中最有价值的内容,以丰富、扩展专家群体智慧,深化定性分析。

(2)将专家群体在会商过程中提出的调度方案、抉择、数据等各种信息与计算机、仿真、模拟技术结合起来,对水情变化和调度预案反复进行定性、特别是定量的分析,使之能从感性到理性、从微观到宏观、从局部到整体,迅速得出较精确的泥沙灾害发展势态和防治决策效果,进一步调动专家群体的知识和经验,激发创造性思维。

(3)利用可视化或多媒体技术,特别是GIS地理信息系统,不仅可以直观、形象地观测到大范围天气形势的动态变化,而且可以将远在千里之外的洪水过程或场景在系统上同步显示,犹如身临其境,极大地扩展了人的认识范围,更加全面、准确、如实、动态地把握水雨情变化和泥沙洪水环境,审定所提方案的适用性,并不断予以调整,找出最佳方案。

(4)在泥沙灾害防治过程中,随着泥沙水情的不断发展,必须及时利用现代化信息网络,快速将提出的防洪决策方案在实施中遇到的问题与新情况反馈回来,迅速调整各种模型、方案与数据,预测新的效果,再提供新的最佳决策。如此不断循环往复下去,一次比一次更准确、更高明。

(5)把科学理论与经验知识结合起来,一些不成文的实际经验,甚至灵感、潜意识等往

往有着十分重要的作用。泥沙灾害防治决策支持系统所提供的信息环境有助于充分发挥专家经验和知识的作用,激发专家的创造性联想,产生对泥沙灾害防治决策的关键问题进行判断和抉择的直觉和灵感。

二、系统开发原则

根据泥沙灾害防治决策支持系统的特点和功能要求,可以看出,系统开发涉及学科众多,系统结构复杂,关键技术密集,建库建模量大。为使系统开发顺利进行,系统开发应遵循下述原则:

(1)以流域泥沙灾害防治决策基本工作步骤为基础,目标为可运行的实用系统。

(2)整个系统全面规划,分期实施,逐步完善,按模块化的思想进行设计和开发;重点做好总体设计,提供一个可操作的原型,以反映系统的技术特点、功能、设计风格以及应用前景;在此基础上,进一步完善设计和功能并进行系统的实体建设。

(3)在开发过程中,注重决策过程中"信息经验反馈"之间的交互分析,发挥综合集成系统的整体优势。

(4)注重系统的统一完整性和系统的逐步完善要求,在系统开发初期重点考虑子系统模块的接口预留和延拓。

(5)对于高新技术的应用,既要考虑到其技术发展的先进性,又要兼顾现实可能性;所选用的计算机系统、操作平台、数据库管理系统及自行开发的软件,应在实用的前提下力求方案和技术方向上是先进的。

(6)充分利用现有数据、模型及研究成果,尤其注重经过实践检验行之有效的方法和模型的二次开发。

(7)遵循行业主管部门在软、硬件环境、综合数据库等方面制定的有关指南和规定,协调或尽量统一库结构和接口方面的要求,以利于分散开发的系统各部件在统一环境下有机集成和顺利运行。

三、系统结构和功能

(一)系统总体逻辑结构和功能

系统的总体逻辑结构是:以数据库和知识库作为基本信息支撑,通过总控程序构筑泥沙灾害防治决策支持系统的运行环境,辅以友好的人机界面和人机对话过程,有效地实现信息查询和泥沙灾害防治决策两大操作功能。信息查询实现泥沙灾害防治决策中所需的各种信息查询、数据检索等功能,主要包括实时泥沙、洪水水情、水文泥沙历史信息、泥沙灾害防治和防汛文档、预报预测结果等信息的查询和自动显示。信息查询要求响应速度快,表达形象直观、清晰、简洁,操作方便。防洪调度是泥沙灾害防治决策支持系统的核心功能块,它将防汛情报、预报、调度决策等技术环节有机地结合在一起,有效地实现泥沙灾害防治及防洪形势分析、调度预案生成、调度预案仿真和方案评价的功能。其最重要的特点是利用各种数学模型,进行防洪系统的水情仿真和各种防洪调度预案的后果预断,以及评价各种可能的洪水水情变化对汛情发展的影响。例如,采用各种洪水演进模型,包括水文学演进、一维和二维非恒定流演进模型等,进行水库、河道泥沙冲淤及洪水演进,以反映泥沙、洪水在水库、河道中的运动及防洪措施的蓄泄效果。针对泥沙灾害防治决策采用会商形式,即专家群体决策这一特点,设计开发决策方案管理子系统。在此子系统下,辅助决策人员可以根据防洪及泥沙专家围绕预定防洪目标拟定的各种防洪调度预案,进行模型选择、参数设置、模型运行及其运行结果的显示查询。该子系统可对多种方案进行统一管理和综合比较,并提交会商讨论,供决策者选定方案,付诸实施。数据库及知识库是泥沙灾害防治决策支持系统的两大信息支撑块。数据库系统实现各种泥沙灾害防治及防洪决策所需的实时、历史、预测数据及地图空间数据、社会经济数据等信息的管理和数据更新。知识库系统包括泥沙灾害防治决策过程中需要的各种文档资料,如防洪调度规则、决策案例文本、历史洪水资料、防洪专家对防洪关键问题的论述等。各库之间的逻辑关系可简要表述为:模型库对数据库提出数据需求及存储格式要求,数据库作为数据源,通过接口程序为模型库提供模型运行所需的数据;模型的运行结果以约定的存储格式存入数据文件,数据库对模型运行结果数据进行统一的管理。知识库是一个相对独立的系统,通过总控程序可直接对其内容进行查询。

除了具有泥沙灾害防治决策支持系统特点外,还具有电子地图管理和分析功能,主要包括以下几项功能:

(1)地图操作。地图操作是该系统最主要的功能,包括了图层控制、放大地图、缩小地图、拖动地图及全区域显示等功能。地图窗体是用户客户端与系统交互的主要途径,一方面它负责显示地图及地图附件,另一方面还要接收用户的操作(缩放、拖放等),将用户的各种操作以图形的方式反映在窗体里。此外,也要反映来自其他对象的操作结果,如接收查询窗体的操作,将查询结果显示在地图上。

(2)数据查询。数据查询可以分为两种:基于空间数据的查询和基于属性数据的查询。当用户在地图上点击时,系统将求出该动作的参数,找出被选中的对象,并从服务器取得其属性数据,收到服务器的响应后,在属性数据窗体里显示出被选中对象的属性数据。属性查询窗体用于输入查询条件,用户可以用 SQL 直接表达查询条件,也可以交互地选取字段和条件值。可根据查询结果进行常规的统计分析汇总以及多维分析,查询结果用图形和表格同时表达出来,并可进行空间搜索定位。

(3)专题分析。专题分析是一种属性数据与空间数据相结合的分析手段。专题分析窗体就是用于输入专题分析参数,由服务器计算生成专题地图,然后在地图窗体里显示出来。包括常规的 MIS 查询和基于 GIS 的交叉查询,将查询结果在地图上反映出其对象及其属性特征的分布情况,进行专题渲染。

(4)空间分析。空间分析主要提供空间对象的常规计算和点、线、区域、缓冲区等的交互查询方式,可进行单一对象的查询和多重对象的查询,进行叠加分析和缓冲区分析。对查询集进行空间对象统计和地理分析,并对相关属性统计分析和浏览。分析结果在地图窗体里显示。

(二)系统总体框架和系统接口

从用户角度来看,系统的总体框架表现为系统的总控菜单。从软件系统的设计开发角度来说,构筑系统总体框架的关键技术包括:①各种任务的合理调度与协调运行;②系统内存的合理分配运用;③各子系统及各独立功能模块的集成技术研究开发;④快速灵活的图形功能开发,等等。通过各种数据接口技术的开发,建立各库之间的有机联系;通过各种控制接口技术的开发,总控程序将各子系统和各独立功能模块集成起来,形成可实际运行的软件系统。各种接口设计总的原则是:数据提取速度快,功能相对独立,数据传递平滑过渡。

(三)人机交互界面友好直观

人机界面有助于决策者快速理解系统所提供的信息。采用分层分级的电子地图的方式可以快速地选择所需的地图信息,并实现对象区域的背景地图与泥沙灾害有关信息的复合叠加。对于图形功能开发系统功能主要包括地图操作(漫游,放大,缩小,空间对象长度、面积、周长、距离等的计算,画线,划定区块,放置图标和编辑)、资料调阅、资料查询(空间查询、属性查询)、资料分析(属性分析、空间分析、专题分析)、系统维护等,其中空间分析中的单一对象分析,是指直接展示用户点的地图对象的相关信息,包括属性数据、相关图像、声音、影像和三维立体造型。该项工作将鼠标光标设置为"单一选择"状态,移动鼠标到查询对象上,双击鼠标左键选中对象并激活查询窗口。多重对象分析,是指根据用户划定的区域,分页显示各选中对象的相关信息,包括属性数据、相关图像、声音、影像或三维立体造型,并具有多重对象数据分析功能。

四、系统软硬件环境

系统开发工具为 Visual Basic 6.0、Mapinfo Professional、MapX,数据库组织用 Forpro6.0,系统开发平台用 Windows 98 中文版。由于该系统牵涉到大量的电子地图,并需基于地图作空间分析和查询等,因此,系统对运行环境要求比较高,系统的运行环境为 PII/300 以上微机,内存为 64M 以上。

参 考 文 献

1　卞雷. SXSES－DSS 模型库和方法库管理系统的设计与实现. 西北大学学报,1995,25(3)

2　邓建华,高国安. 面向对象的模型库管理系统分析与设计. 计算机工程与应用,1998(1)

3　胡金柱. 模糊决策与决策支持系统. 武汉:华中师范大学出版社,1989

4　胡守仁,余少波等. 神经网络[M]. 长沙:国防科技大学出版社,1992

5　黄委会黄河志编辑室. 黄河防洪志. 郑州:河南人民出版社,1991

6　李京等. 模型库管理系统的设计与实现[J]. 软件学报,1998,9(8)

7　席酉民,数耕中,汪应洛. DSS 述评:历史、现状和未来. 西安:西安交通大学出版社,1991

8　徐洁磐等. 智能决策支持系统的发展与展望[J]. 计算机研究与发展,1993(3)

9　COMPOLO M.,SOLDATI A. ANDREUSSI P. Forcasting river flow rate during low flow periods using neural networks[J]. Water resource Res. 1999,35

10　TOKAR A. S,MARKUS M.,Precipation－runoff modeling using artificiall neural networks and computual models[J], J Hydrologic Eng. 2000,5